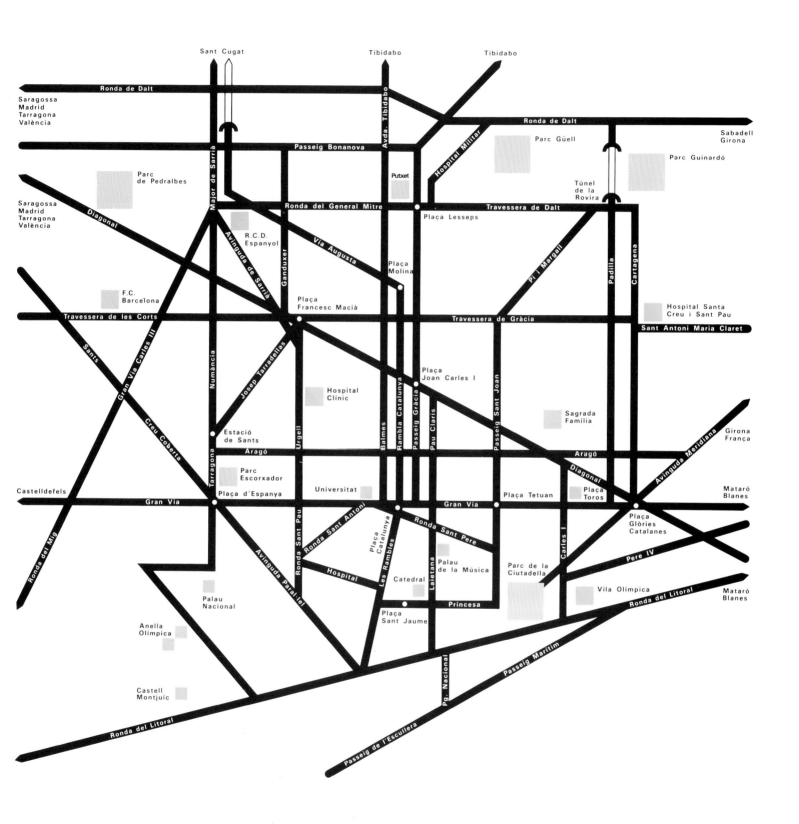

Barcelona

Edició Published by 発行所	Triangle Postals
Coordinació Coordination 此調	Paz Marrodán Jaume Serrat
Textes Text 本文	Borja Calzado
Traducció Translation 翻訳	Pampilio Filardi Jina Monger Extension, Osaka
Disseny Design デザイン	America Sanchez scp.
Fotografies Photographs 写真	Pere Vivas 1, 2, 4, 10, 11, 14, 15, 17, 18, 19, 21, 23a, 23b, 23d, 25, 26, 27, 28, 30, 31, 32, 33, 34, 36, 37, 38, 40, 41, 42, 44, 45, 47, 48, 49, 51, 52, 54, 56a, 56b, 58, 59, 60, 62, 64a, 64b, 68, 69, 71, 72, 74, 75, 78, 79, 80, 81, 82, 83, 86, 88, 89, 92, 93, 94, 95, 96, 98, 99, 100 Ricard Pla 3, 5, 6, 7, 8, 12, 13, 22, 23c, 24, 29, 35, 39, 46, 50, 53, 55, 56c, 56d, 61, 63, 64c, 64d, 65, 66, 67, 70, 73, 77, 84, 85, 90, 97 Lluís Bertrán 16, 20, 43b, 87, 91 Jordi Todó, Tavisa 43a, 57, 76 Jaume Serrat 9
Fotomecànica Colour separations 写真製版印刷	Reprocolor Llovet Assessor tècnic Lluís Barrachina
Fotocomposició Typesetting 写真植字	Dos 3 Set S.A.
Impressió Printed by 印刷	Indústries Gràfiques Viking S.A.
Paper Paper 紙	Creaprint 150g/m². Torraspapel S.A.
Dipòsit Legal ISBN 国際標準図書番号	B: 20.390-92 84-604-2645-9
Triangle Postals	Tel. (971) 150451 Fax. (971) 151836

Barcelona

Fotografies / Photographs / 写真
Pere Vivas / Ricard Pla

Edició / Published by / 発行所
Triangle Postals

Contemplada des del Tibidabo, Barcelona, com una catifa feta d'una espessa trama de carrers, s'ens mostra cobrint el pla que, entre el Llobregat i el Besòs s'estén des de la mar fins a la serra protectora de Collserola. La història i l'atzar determinaren amb tenacitat pacient aquest teixit urbà que alterna espais capritxosos i entreviats amb d'altres més rectilinis i racionals. Des d'aquesta talaia fins i tot es veu Mallorca els dies clars, en un horitzó marí que es fon amb la història mediterrània d'aquesta ciutat de llum càlida, oberta, que se sap centre de cultures diverses, hereva constant d'anhels col.lectius. Els seus orígens ibèrics, el contacte amb el món grec i la refundació romana com a colònia Barcino, el primer recinte de la qual es situa al turonet del Mons Tàber, dormen, en capes successives, en el que avui és el cor del Barri Gòtic i des d'on, a partir del segle X, Barcelona exerceix la capitalitat de Catalunya. El temps, dos mil anys d'història, ha estat l'artífex decisiu de la configuració final d'aquesta ciutat laberíntica en què les realitats s'hi manifesten tant visibles com ocultes.

Les entranyes de Barcelona es corresponen amb l'antic perímetre que marcaven les muralles de l'època romana, el traçat de les quals, d'execució sòbria i robusta, avui podem seguir amb fidelitat, i les posteriors ampliacions medievals, un espai que modulava el riu de vida de les Rambles i el límit marítim del port.. Durant segles, l'expansió comercial dels barcelonins pel Mediterrani afavorí el creixement econòmic, potencià els gremis d'artesans i la industria relacionada amb la navegació. L'edifici de la Llotja, l'església de Santa Maria del Mar i les Drassanes ens parlen, des de l'excepcionalitat de la seva arquitectura única, d'aquells moments d'esplendor, ben iqual que la història i els noms de molts carrers i places.

El traçat peculiar de la ciutat antiga permet de redescobrir constantment moltíssims racons i detalls d'interès, només visibles als ulls desperts i escrutadors. Carrers estrets que esquiven el sol, en els quals no hi manca un cert aire decadent o bé degradat, s'obren a d'altres espais de rara bellesa amb edificis d'arquitectura valuosa, ara restaurats i habilitats per a nous usos públics. Des de la fundació romana, les seus de govern s'instal.laren al centre d'aquest barri històric; aquí legislà el primer parlament democràtic d'Europa, el "Consell de Cent". Avui hi trobem, davant per davant, la Casa de la Ciutat i la Generalitat de Catalunya.

Durant segles la vida dels barcelonins transcorregué dins d'aquest perímetre exigu, fins que la necessitat de creixement forçà l'eixamplada de la ciutat. L'enderroc de les muralles que constrenyien la Barcelona antiga coincidí amb el desenvolupament econòmic i industrial, amb el sector del tèxtil durant molts anys al capdavant. Així, l'esperit industriós dels catalans, mentre generava riquesa, produïa nova arquitectura, al mateix temps que els primers corrents migratoris s'assentaven a la ciutat. Més endavant, d'aquí en sortirien una bona part dels protagonistes dels moviments obrers revolucionaris. Així s'inicia una nova era a la ciutat, amb l'oportunitat per primera vegada de comptar amb solucions urbanístiques com a punt de partida.

La planificació que havia "d'eixamplar" Barcelona fou ideada per Ildefons Cerdà a mitjan segle passat, amb la intenció de racionalitzar l'espai entre la ciutat vella i les viles properes que, amb el creixement, foren engolides. La transformació que durant mig segle experimentà Barcelona, en contrapunt amb el caràcter dens i a voltes anàrquic de la ciutat, no té comparació possible a Europa. La peculiar "quadrícula" de l'Eixample, el resultat final de l'expansió, forma un teixit urbà uniforme alterat només per les construccions modernistes més atrevides. El modernisme fou aquí l'expressió d'un desig, el de situar la cultura catalana a l'altura de les més importants d'Europa, una cultura que, al seu torn, fos també expressió de la potència econòmica del país i dels seus anhels de llibertat i de modernitat.

Hi ha dos esdeveniments que per la seva importància enmarquen el creixement de la ciutat i simbolitzen la recuperació de nous espais: l'Exposició Universal de 1888 i l'Exposició Internacional de 1929. A la primera, els arquitectes modernistes iniciaven el seu camí; a la segona, l'arquitectura racionalista mostrava ja les seves primeres manifestacions. Entre les dues dates, nombrosos artistes, Domènec i Montaner, Gaudí, Picasso, Gargallo, Miró, etc., al respir de l'atmosfera renovadora que vivia la ciutat, completaven o bé iniciaven la seva obra, producte d'una època excepcional, tan rica de noves propostes culturals com esperançadora i utòpica en les seves ànsies de transformació social.

Els darrers anys, amb la cita olímpica de rerafons, ha anat sorgint una nova Barcelona fruit, un cop més, de la gran transformació urbanística que s'inicià amb dos objectius bàsics: la recuperació de la façana marítima i la restauració i recuperació de barris i edificis singulars. Aquesta renovació adquireix un major abast amb les noves comunicacions viàries, la creació de noves places i parcs públics, la construcció d'instal.lacions esportives i la modernització de la infraestructura tecnològica. Tot plegat ha fet posssible la presència dels millors arquitectes i artistes internacionals en la concepció i el disseny dels nous espais.

El resultat és una ciutat renovada que s'ofereix avui al gaudi dels ciutadans i dels visitants, amb una configuració ajustada cada vegada més al desig de tothom, més a la mida de les necessitats comunes. Aconseguits ja els primers objectius, d'altres reptes solquen l'horitzó barceloní, com ara l'acabament progresiu d'importants obres culturals. Reçentment, el conjunt de la Casa de la Caritat, seu del Centre de Cultura Contemporània de Barcelona, s'acaba d'inagurar i és ja un important focus d'activitat. Prest obriran les seves portes el Museu d'Art Contemporani, el Teatre Nacional i l'Auditori, entre d'altres, i contribuiran a incrementar l'oferta cultural de la ciutat, que segueix creixent, una vegada més, en bona harmonia amb el desenvolupament arquitectònic i urbanístic.

Però en el lent i continuat camí de transformació que fa tota ciutat hi són inevitables les desaparicions traumàtiques. La imatge que tanca el nostre llibre, el Gran Teatre del Liceu, ens mostra un teló a punt d'obrir-se, quelcom que, de moment, no serà pas factible; en un incendi vigorós les flames varen consumir l'anfiteatre que durant més d'un segle havia estat protagonista de la vida social i lúdica de gran part dels barcelonins.

El millor encert, a l'hora de mostrar la Barcelona actual, consisteix a saber-ne captar allò que és més representatiu, més emblemàtic, fugint alhora de l'estereotipat. És per això que la manera de veure i l'actitud que adoptem davant allò que veiem és primordial. Així, la nostra visió és una lectura pausada de totes les realitats perceptibles en estils arquitectònics, referències culturals, signes de vitalitat: romànic, gòtic, modernisme i, des d'aquí, les realitzacions avantguardistes més reçents, però també la gent, el quiosc, el detall, la instantània irrepetible o el "pa amb tomàquet" formen part d'aquesta visió fins a assolir una última impressió: la contemplació de la ciutat real.

Un llibre d'imatges implica la seqüència i la fragmentació, però sempre amb intenció de globalitat; d'aquesta manera, la suma d'instantànies ens donarà una idea recognoscible de la ciutat viscuda i sentida. Per al coneixedor, el detall serà una remembrança; per al profà, una advertència que tingui l'ull viu. El llibre es converteix, així, en el millor obsequi, que és el millor record, un record al qual es pot tornar sense por que hagi canviat, puix que les imatges ens tornaran els escenaris que foren testimoni d'experiències viscudes.

Borja Calzado

▲
4 Façana posterior de la casa Comalat
   Rear façade. Casa Comalat
   カサ・コマラーの裏側

S een from the top of the Tibidabo, Barcelona appears as a complex network of streets on the plain that lies betwe-
en the Llobregat and Besós rivers, the protective outline of the Collserola hills, and the sea. A combination of
history and fortune have paciently determined this urban landscape where rational and lineal concepts alternate with the
capricious and the anarchic. The marine horizon visible from here - Mallorca can be seen on clear days - merges with
the Mediterranean history of this luminous, open city, this self-acknowledged crossroads of cultures. Barcelona became
the capital of Catalonia in the 10th century, having witnessed, since its Iberian origins, the presence of the Greeks and
then the Romans who founded the Barcino colony on the Mons Táber hill, today the heart of the Gothic quarter. Time -
two thousand years of history - has been the decisive architect in the configuration of this labyrinthine city, whose reali-
ties remain both visible and concealed.

The core of Barcelona coincides with the walled precinct of the Roman era - whose solid and robust lines can
still be followed today - and later additions from medieval times; an area enhanced by the river of vitality that
is the Rambles and the harbour. For centuries, commercial expansion throughout the Mediterranean favoured
economic growth, strengthening both craftsmens' guilds and the industries related to seafaring. The unique
architecture of the Llotja (Exchange), the basilica of Sta. Maria del Mar, and the Drassanes (dockyards), speak
to us of those times of splendour as does the history that can be read in the names of many of the streets and
squares.

The apparently haphazard layout of the old city gives rise to the constant rediscovery of places of interest which are
often only visible to the inquisitive eye. Narrow streets that seem to elude the sun, sometimes with an air of decadence
and degradation, open onto spaces of rare beauty and buildings whose priceless architecture has been renovated and res-
tored for public use. Since Roman times, the centre of this historic quarter has been the site of governmental buildings -
here was the seat of the first democratic parliament in Europe, the "Consell de Cent" (Council of One Hundred) - and
today we find the maximum representatives of the city, the Town Hall and the Generalitat de Catalunya.

For centuries, the inhabitants of Barcelona lived their lives within this reduced perimeter, until the need for growth brought about the expansion of the city. The demolition of the walls that marked the limits of the old city coincided with economic growth and industrial development in which the textile sector was pioneer. At this time, Catalonia's industrial spirit generated both riches and architecture whilst also creating the first currents of immigration which, in time, would give rise to revolutionary labour movements. Urban growth and development became the starting point of a new era for the city.

The urban planning which permitted the "eixample" (widening) of Barcelona, at the middle of the last century, was Ildefons Cerdà's attempt to rationally adapt the space between the old centre and the nearby villages that were destined to become absorbed by the growing city. The transformation that took place in Barcelona over the next half-century, counterpoint to the dense, even anarchic character of the city, has no comparison in Europe. The characteristic grid system formed by the streets and squares of the Eixample forms a uniform urban web punctuated by the most audacious Modernist buildings. Modernism was the expression of a wish, that of situating Catalan culture on a level with Europe's best; a culture that was, in turn, an expression of the strong Catalan economy and the quest for liberty and modernity.

Two important events frame the city's growth and symbolize the recuperation of open spaces: the Universal Exhibition of 1888 and the International Exhibition of 1929. At the time of the former, the Modernist architects were just beginning their task; and by the latter, rationalist architecture was already making itself manifest. Between these two dates, many artists - Domènech i Montaner, Gaudí, Puig i Cadafalch, Picasso, Gargallo, Miró etc., inspired by the innovatory atmosphere that prevailed in the city, were initiating or finalizing their creations. These works remain today as the reflection of an exceptional time, rich in new cultural movements and hopeful, even Utopian, social transformations.

Over the past few years, with the Olympic calendar as background, a new Barcelona has emerged, fruit of the tremendous urban metamorphosis that was inititated with two basic objectives: the reintegration of the water-front areas and the renovation of exceptional buildings and districts. This renovation, which has had its most far-reaching effects in the development of new road networks, the building of sports' facilities, the creation of new sqaures and parks and the remodelling of technological infrastructures, has required, and made possible, the collaboration of the most internationally accredited architects and designers.

The result is a new city in which the interests and needs of both townspeople and visitors have their place. The formeost challenges having been overcome, other objectives remain on the horizon, such as the gradual completion of important cultural works. Recently, the Casa de la Caritat, (seat of the Centre de Cultura Contemporànea de Barcelona) has been inaugurated and has already become an important centre. The Museu d'Art Contemporani, el Teatre Nacional and the Auditori, among others, will follow to increase still further the city's cultural profile that continues to grow in harmony with architectural and urban development.

During this continued and gradual transformation of the city one traumatic loss has been suffered. The last image in this book shows the curtain of the Gran Teatre del Liceu about to rise. For the time being this will not be possible as a devastating fire razed the amphiteathre to the ground, thus bringing to a close more than a century of deep-rooted tradition.

When the time comes to offer an overall impression of the Barcelona of today, the greatest achievement lies in grasping the most representative and symbolic images. What is fundamental is our attitude towards what we see, the way look at what is shown to us. Our view of the city is an unhurried interpretation of what we see around us in architectural styles, cultural references, signs of vitality: Romanic, Gothic, Modernist, to the most avant-garde enterprises; but also the people, the subway, the "pa amb tomàquet". Thus to the attainment of a final impression: the contemplation of the real city.

A book of images implies sequence and fragmentation, but should always maintain its fundamental aim: that of offering a recognizable, overall idea of the city as we experience it on a day by day basis. To those familiar with the subject, details act as reminders of images we have perceived; to strangers, they are an incentive to observe. This book becomes, therefore, the ideal gift, the ideal souvenir - a souvenir to which one may return, never fearing that it will have changed: the images will always bring back to mind the scenarios that were witness to our experience.

Borja Calzado

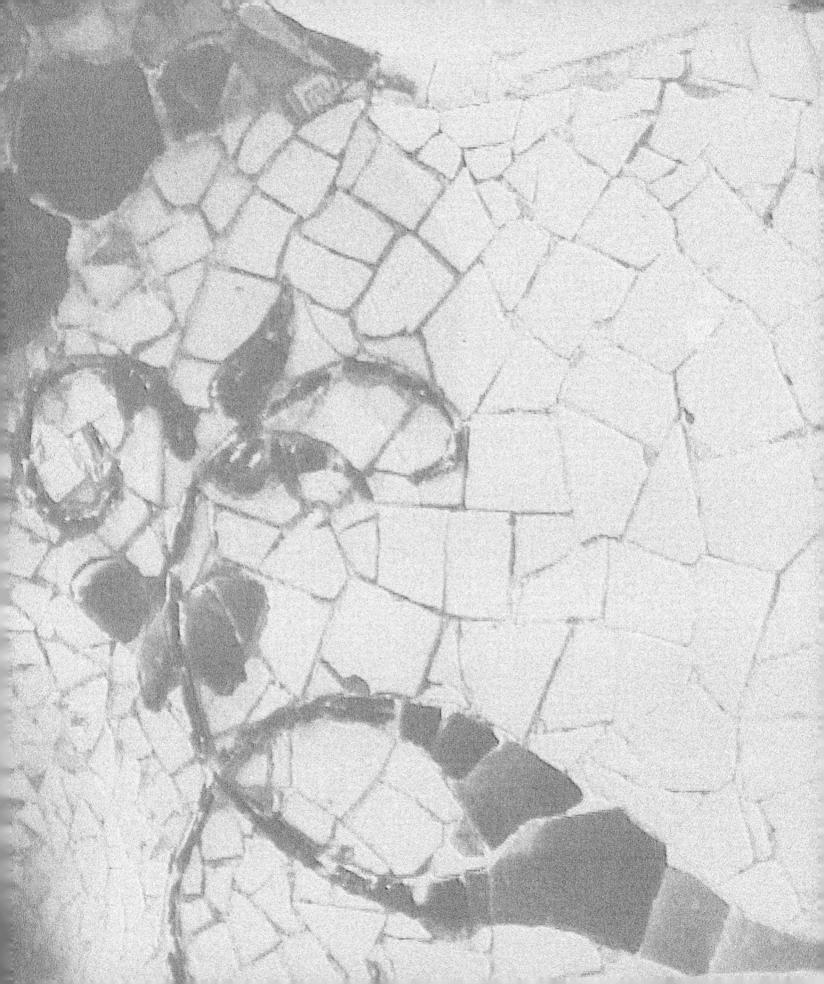

▲

5 Pinacles de la Sagrada Família
   Pinnacles of the Sagrada Família
   サグラダ・ファミリア教会の尖塔

ティビダボ山から街をながめると、コルセリョーラ山脈とジョブレガー川、ベソス川の2本の川に囲まれた海に面した平野に、整然と並んだ通りにうめつくされたバルセローナの街並みが見渡せる。この街の気紛れで混沌とした空間と、合理的に作られた秩序正しい空間は、この都市模様をじっくりと織りなした歴史と、それを彩る様々な出来事の賜物である。

その彼方には（晴れた日にはマジョルカ島が見える）過去さまざまな文化の中心地となり、一丸となって目的を達する気質を受け継ぐ、地中海のやわらかい光につつまれた開放的なこの街の歴史を見守ってきた水平線が見える。

イベリア半島の起源の時代から、ギリシャの時代、バルシーノの植民地（その最初の都はモンス・ダヴェルの丘におかれ、現在そこはゴシック地区の中心になっている。）に代表されるローマの進出の時代を経て、バルセローナは10世紀ごろから、カタルーニャの首都としての役割を果たすようになってきた。

2千年におよぶ歴史の中で、この街は時の流れにより迷宮のような複雑な街となり、ここでは明と暗の中に現実が交錯する。

バルセローナは、ローマ時代の古い城壁—その簡素で力強い造りは、今でも忠実に辿ることができる—で囲まれていたこと、中世になって拡張されたこと、ランブラスのひとなつっこく活気に満ちた通り、そして海側には港もあることより、独特の雰囲気を持つ街となっている。

長年に及ぶバルセローナの人々の地中海貿易への進出により、経済が繁栄し、職人同業者組合と航海に関連した産業が発達した。ロンハの建物、サンタ・マリア・ダル・マル教会、アタラサナス（造船所）の建物などは、歴史や多くの通り、広場につけられた名前と同じように、あの輝かしい時代をそのまま私たちに物語ってくれる。

複雑に入り組んだ旧市街地区では、関心を持って目を注げば、どこでも細かい

ものや、面白い街角を再発見することができる。狭く陽の光の入りこまない通りには、時には衰退、低落といった雰囲気がただよい、反面今は改造されて公共の建物になっている歴史的に貴重な建物とともに、美しい空間を生み出している。

ローマ時代から政府の中心はこの歴史的地区におかれてきた。(ヨーロッパ最初の民主議会 "コンセル・ダ・センツ" があった。) 現在は、市の最高代表機関であるバルセローナ市役所とカタルーニャ自治政府庁舎が向かい合って建っている。

街の拡張の必要性が叫ばれるまで、何世紀にも渡ってバルセローナ市民の生活は、この周辺の狭い地域に限られていた。長年に渡る繊維産業の発達と、それに伴う経済の発展により、旧市街を圧迫し始めた城壁が撤去された。この時期カタルーニャは、産業の発展により社会が活性化し、富が蓄積され、新しい建築が生まれた。さらにこの頃、最初の移民の流入が始まった。彼等が後に労働者革命運動の推進者となるのである。こうして都市整備に初めて取り組む気運が高まり、街は新しい時代の幕開けを迎えようとしていた。

19世紀半ばにイルデフォンス・セルダーが提案した都市拡張計画は、旧市街と街の膨張のあおりを受けた隣接地区全域の再編成を試みたものであった。半世紀に渡って行われたバルセローナ市の再開発により、過密な無秩序でさえあった街が生まれ変わることになった。これはヨーロッパでも例を見ないことである。

拡張計画の最終目的である特徴的なエシャムプレの "碁盤目状" の通りにより統一された町並みができ上がり、さらに最も大胆なモデルニスモの建築物が建てられ、街の様相は一変した。
ここでいうモデルニスモとは、カタルーニャの文化をヨーロッパの最高のもののひとつにしたいと願う気持ちを表現することであった。つまり国の経済力を誇示し、自由と近代化への憧れを表現することだったのである。

２つの重要な出来事が都市の発展を決定的にし、街は新しい空間を取り戻した。；
1888年の万博と1929年の国際博覧会である。前者に於いてモデルニスモの建築が始まり、後者に於いては合理主義建築が早くも出現した。この２つのイベントの間の時期にドメネク・イ・モンタネール、ガゥディ、プッチ・イ・カダファルク、ピカソ、ガルガージョ、ミロなどの多くの芸術家が現れ、当時市内にあふれていた革新的ムードに影響されて、他に類を見ない独特な時代、社会の改革を望む希望に満ちた空想的な新しい文化の担い手達を多く輩出した時代の産物としての作品群を生み出していった。

近年、オリンピック開催を意識して、２つの目的のもとに都市再開発が行われ、新しいバルセローナが誕生した。；海岸地区の復元と、歴史的特徴を備えた地区とその建物の修復及び復元である。
新道路の整備、スポーツ施設の建設、新しい広場と公園、インフラの整備などの推進政策のおかげで国際的な建築家や芸術家が集まり、彼等のデザインをいかした新しい街並み造りに活躍している。

その結果、必要に応じて改良が加えられ、市民のみならず観光客にも愛される新しい街並みが出来上がった。主な文化的公共事業が序々に完了して初期計画が終了した後、今度はバルセローナの街に照準をあてた新しい挑戦が開始された。最近では、"都市の中の都市"と名付けられたマルチ教育プロジェクトの一環として、バルセローナ現代文化センターの本部である集合住宅、"ラ・カサ・デ・ラ・カリタットゥ"がオープンし、早くも文化活動の重要な拠点となっている。この他にも現代美術館、国立劇場、ホールなどのオープンが予定されており、この街の文化事業の発展に寄与することになる。この一連のプロジェクトに於いても、文化活動と、建築、都市整備の調和が以前にも増して強調された。

一方都市が序々に変遷を辿る中、なんらかの外観の損失もまた避けられないものである。この本の最後を飾るリセゥ大劇場の写真は、幕が開く瞬間のもので

あるが、この光景をもう一度見ることは今のところ不可能だ。；一世紀以上に渡ってバルセローナの文化を支えて来た円形劇場は、猛火の中、炎に包まれてしまったのである。

現在のバルセローナを最も良く把握するには、バルセローナを代表する象徴的なものに的をしぼることが必要である。反面ステレオタイプ的な見方はしない方が良い。その為にはまず、その見方、行動のとり方を考えなければならない。ここで紹介するのは、建築、文化、生活などにみうけられるバルセローナの真の姿である。；ロマネスク、ゴシックやモデルニスモ時代のものから、最近のアヴァンギャルド的傾向までを網羅する。
しかし同時に、街の人々、キオスク、細部、再現できない瞬間や"パ・アム・トマカッツ"なども我々のビジョンの重要な部分として扱っており、最後の一枚の写真に至るまで本当のバルセローナ、他とは違う都市の姿を見て頂くことができるだろう。

写真集とは、連続性と断片性の2面を兼ね持つものである。しかしその意図は全体を忠実に表現しようとするものであり、この意味で、この何枚かのスナップにより、生き生きとした豊かな表情を持つこの街の全体像をとらえて頂けると思う。この街を知っている人には思い出を深めて頂くために、知らない人にはこの街の目をとめるべきポイントを知って頂く為にこの本を贈る。

写真とは、そこに生きた瞬間を再現してくれるもので、その思い出のシーンが変わってしまったかもしれないという不安を抱くことなく、いつでもその思い出に帰り、思い出にひたることができる。この本はその思い出の最高の贈物である。

▲
6 Pavelló del Park Güell
Porters's lodge. Park Güell
グエル公園の門番の館

▲
10 "Golondrina" creuant el port
    Motorboat crossing the harbour
    港を遊覧する "ゴロンドリーナ"

▶
11 Visitants al port
    Visitors to the harbour
    港のお客様

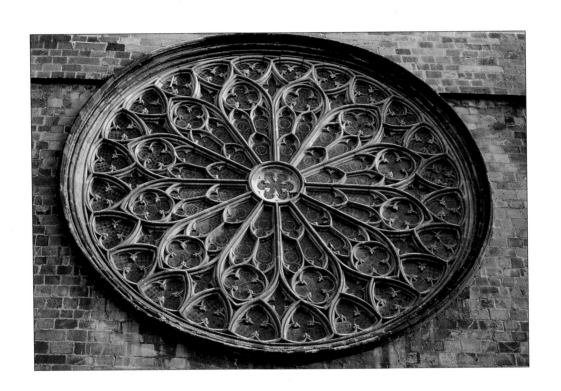

12 Rosetó de l'església del Pi
Rose window of the Església del Pi
ダル・ピ教会のバラ形窓

13 El cor de la ciutat medieval
The heart of the medieval city
中世のたたずまいを残す地区

14 Claustre de la Catedral
Cloister of the Cathedral
大聖堂の回廊

15 Detall barroc del Palau Dalmases
Baroque detail. Palau Dalmases
パラウ・ダルマセスのディテール

16 Plaça del Pi
Plaça del Pi
ピ広場の一角（松の木の広場）

▶
17 Botiga d'antiguitats
Antique shop
骨董品店

▲
20 Castellers a la Plaça de Sant Jaume
"Castellers" in the Plaça Sant Jaume
"カステリェールス"

22 Menjador de l'Hotel España
Dining room. Hotel España
エスパーニャ・ホテルのレストラン

25 El Verger de Palau
Verger de Palau
旧ヴェルジェール・ダル・パラウ

26 Detall de la façana de la Catedral
Detail. Cathedral façade
大聖堂のファサード

▲
27 Pont gòtic del carrer del Bisbe
Gothic bridge. C/ del Bisbe
ビスベ通りのゴシック様式の橋

▶
28 Instantànies ciutadanes, I
City snapshots, I
人々の表情

▲
29 Bústia de la casa de l'Ardiaca
   Letter box. Casa de l'Ardiaca
   カサ・ダ・ラールディアカのポスト

▶
30 Pati del Palau Dalmases
   Courtyard. Palau Dalmases
   パラウ・ダルマセスの中庭

▲
31 Interior de Santa Maria del Mar
    Interior. Santa Maria del Mar
    サンタ・マリア・ダル・マール教会

▶
32 Cascada del Parc de la Ciutadella
    Fountain. Parc de la Ciutadella
    シウタデージャ公園の滝

Màgia i poesia de les botigues
Curiosity shops
魅惑的な店がならぶ通り

37 Galera Reial del Museu Marítim
Royal galley. Maritime Museum
海洋博物館の王室ガレー船

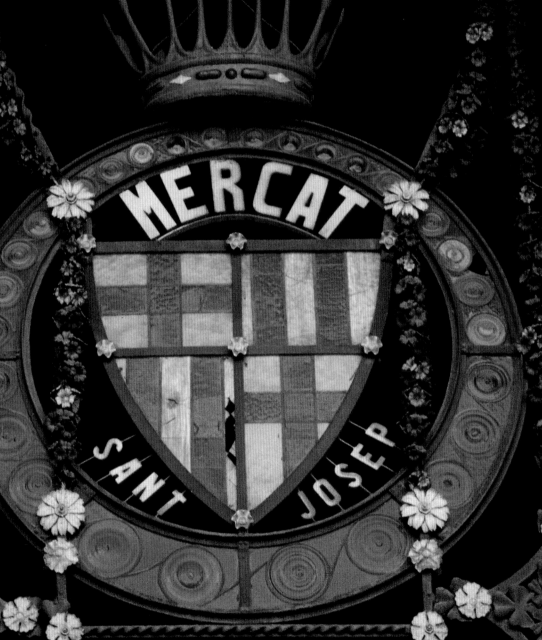

Escut del Mercat de la Boqueria
Coat of arms of the Boqueria market
ボケリーア市場の看板

39 Mercat de Sant Antoni
St. Antoni market
サン・アントニ市場

▲

40 Fira de Santa Llúcia
The fair of Santa Llúcia
サンタ・リュシァの祭り

▶

41 Instantànies ciutadanes, II
City snapshots, II
息づく街角

▲

42 Rovira i Trias
    Rovira i Trias
    ロビラ・イ・トゥリアス広場

▶

43 Mare Nostrum & maremàgnum
    Low tide - high tide
    温暖な海

▲
44 Plaça dels Països Catalans
   Plaça dels Països Catalans
   パイスス・カタランス広場

▶
45 "Dona i Ocell", de Joan Miró
   "Dona i Ocell", by Joan Miró
   ジョアン・ミロのドナ・イ・ウセル

▲
46 La casa "de les Punxes"
   "Casa de les Punxes"
   "レス・プンシャス" 集合住宅

▶
47 Fundació Antoni Tàpies
   Fundació Antoni Tàpies
   アントニ・タピエス財団

asa Batlló
asa Batlló
サ・バトリョ

52 Interior de la casa Batlló
Interior. Casa Batlló
カサ・バトリョの内部

emeneies de la casa Batlló
himney stacks. Casa Batlló
サ・バトリョの煙突

54 Detall de la casa Amatller
Detail of roof. Casa Amatller
カサ・アマッリェールのディテール

55 ▲ Eixida al terrat de la casa Milà
Access to the rooftop. Casa Milà
カサ・ミラの屋上へ

56 ▶ Detalls modernistes
Modernist details
モデルニスモの街並み

▲
57 Panoràmica aèria de la Sagrada Família
Aerial view of the Sagrada Família

サグラダ・ファミリアのパノラマ

▶
58 Detall de la façana del Naixement
Detail. Nativity façade

生誕のファサードのディテール

59 ▲ Pont entre dues torres
Bridge between two spires
2本の側塔を結ぶ橋

60 ▶ La Sagrada Família, per dins
Interior. Sagrada Família
サグラダ・ファミリアの内部

61 Banc de la plaça. Park Güell
Serpentine bench. Park Güell
グエル公園の広場のベンチ

62 Un parc protegit per la UNESCO
A park protected by UNESCO
ユネスコ保護下の公園

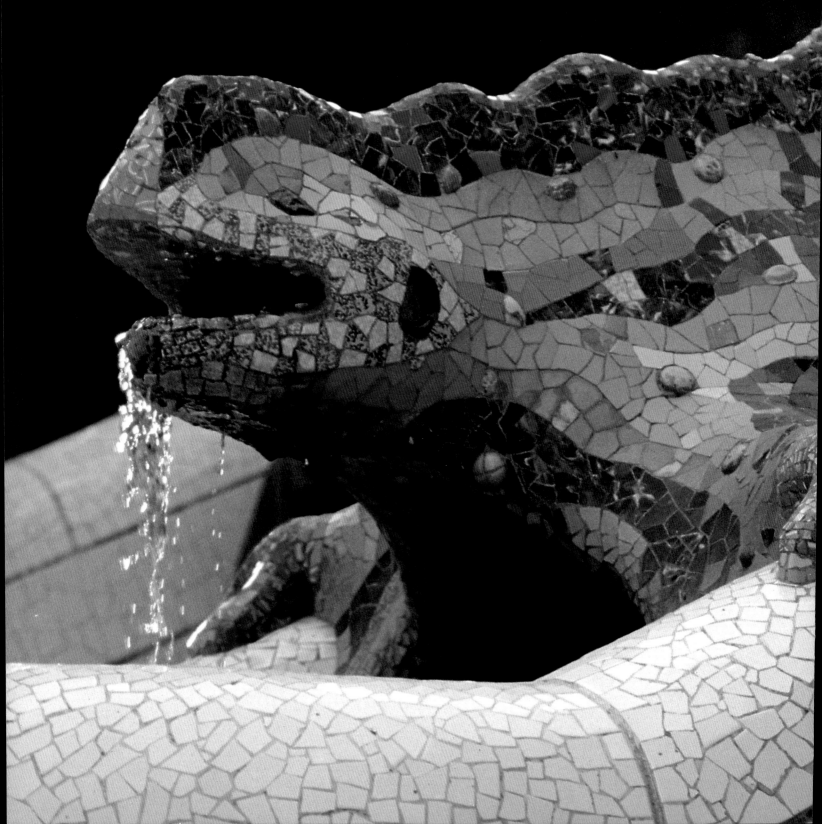

▲

ampa circular del Park Güell   67 Galeria porticada. Park Güell
rcular promenade. Park Güell   Porched arcade. Park Güell
エル公園内を巡る斜面   グエル公園の回廊

▲
69 Columnata dòrica. Park Güell
Doric colonnade. Park Güell
グエル公園のドリス神殿式列柱

▲
70 Viaducte del Park Güell
Avenue. Park Güell
グエル公園の散歩道

▶
71 Vestíbuls gaudinians
Vestibules by Gaudí
ガゥディ建築にみるホールとあずま

▲
72 Detall de la casa Amatller
Detail. Casa Amatller
カサ・アマッリェールのディテール

▶
73 Interior del Palau Macaia
Interior. Palau Macaia
カサ・マカヤの内部

▲
74 Escala de la casa Manuel Felip
    Staircase. Casa Manuel Felip

    カサ・マヌエル・フェリッフの階段

▶
75 Porta del drac. Finca Güell
    Dragon gate. Finca Güell

    エスペリデスの園の龍

76 Fundació Joan Miró. Montjuïc
Fundació Joan Miró. Montjuïc
フンダシオ・ジョアン・ミロ

77 Interior de la Fundació Joan Miró
Interior. Fundació Joan Miró
フンダシオ・ジョアン・ミロ の内部

Anella Olímpica de Montjuïc
The Olympic Area. Montjuïc
ンジュイックのオリンピック競技場

84 Aurigues de Pablo Gargallo
Charioteers by Pablo Gargallo
パブロ・ガルガージョの御者

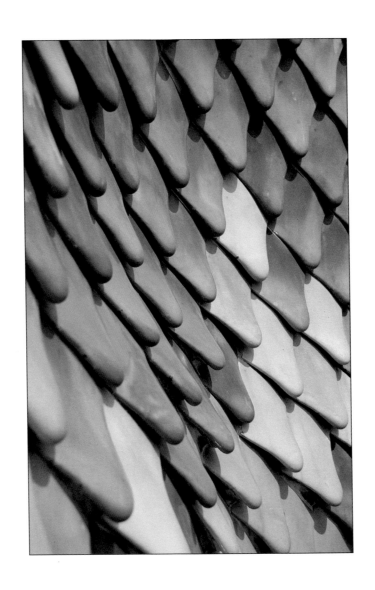

▲
85 L'escama del drac
    Scales of the dragon
    カサ・バトリョの屋根のディテール

▶
86 "Matí", de Georg Kolbe
    "Morning", by Georg Kolbe
    ジョージ・コルベの彫刻

▲
87 Mamut del Parc de la Ciutadella
Mammouth. Parc de la Ciutadella

シウタデージャ公園のマンモス

▶
88 Laberint d'Horta
The maze of Horta

オルタの迷路

▲
89 Pont de Bach de Roda
    Bach de Roda bridge
    バック・ダ・ロダ橋

▶
90 Parc de L'Espanya Industrial
    Parc de L'Espanya Industrial
    エスパーニャ・インドゥストゥリアノ

91 Vida nocturna
Nightlife
ナイト・ライフ

92 Gratacels de la Nova Icària
Skyscrapers of la Nova Icària
ノヴァ・イカリアの摩天楼

loquet de Neu, barceloní de pro
loquet de Neu ("Snowflake")
コピート・デ・ニエベ"

▲
97 Arc de Triomf
The triumphal arch
凱旋門

▶▶
98 Gran Teatre del Liceu
Gran Teatre del Liceu
リセゥ大劇場

Català	English	日本語

1 Quadrícula de l'Eixample

Ildefons Cerdà planificà una quadrícula que preveia les futures necessitats que podria plantejar el creixement de Barcelona. Interessos egoistes impediren que el més atrevit projecte urbanístic de la ciutat moderna s'acomplís segons la seva concepció original.

The quadrangles of the Eixample

The squared planification of Ildefons Cerdà foresaw the future needs of the growing city. A conflict of interests prevented this most ambitious urban project from being completed in accordance with the original plans.

碁盤目状のエシャムプレ地区

イルデフォンス・セルダーが設計した碁盤目状の街並みは、バルセローナの将来の拡張を前提に計画されたものであった。しかし利害関係の対立のため、現代都市改造計画は彼の原案の完全実施にはいたらない形で実施されたのである。

2 Genets de Pablo Gargallo

Una vegada reconstruït l'Estadi Olímpic de Montjuïc, els genets de l'escultor Pablo Gargallo han tornat al seu enclavament original per presidir les bregues esportives del futur.

Horsemen by Pablo Gargallo

After the renovation of the Montjuïc Olympic Stadium, these horsemen, work of the sculptor Pablo Gargallo, returned to their original location to preside over the sporting events.

パブロ・ガルガージョの騎馬兵

モンジュイックのオリンピック・スタジアムが修復されたとき、彫刻家パブロ・ガルガージョの作品である騎馬兵がもとの場所に戻された。馬術競技の主導権をにぎることであろう。

3 La casa Milà, d'en Gaudí

Popularment coneguda per "La Pedrera", a les façanes de la monumental casa Milà hi descobrim una difícil combinació: d'una banda, l'abstracció de la seva massa de pedra ondulant, de l'altra, les formes incorporades del ferro forjat dels balcons.

Casa Milà. Gaudí

Popularly known as La Pedrera (The Quarry), the casa Milà combines the solidity of it's mass of undulating stone with the baroque forms of the wrought iron balconies.

ガゥディのカサ・ミラ

一般に "ラ・ペドゥレラ" と呼ばれるカサ・ミラのファサードは、抽象的な波打つような石と、バルコニーのバロック調の鍛鉄製欄干の調和が見事である。

4 Façana posterior de la casa Comalat

La part posterior de la casa Comalat, obra modernista d'en Salvador Valeri, presenta una solució ben diferent de la façana principal. Sembla com si el ritme sincopat dels finestrals de fusta i les ondulacions de la ceràmica ornamental hi tinguessin una més gran llibertat expressiva.

Rear façade. Casa Comalat

The rear part of the Casa Comalat, Modernist work of Salvador Valeri, offers quite a different aspect to it's main façade. Here, the ondulating wooden galleries and the ceramic ornamentations, are represented in a lighter vein.

カサ・コマラーの裏側

サルバドール・ヴァレリによるモデルニスムの作品、カサ・コマラーの後ろ側は、そのファサードとはまったく別の表情を見せる。波うつような木の出窓やタイルの装飾は、まるで表現しうるかぎりに自由を謳歌しているようだ。

5 Pinacles de la Sagrada Família

Característica dels pinacles és la seva coronació en formes emblemàtiques, com és ara la creu. Aquí, el típic "trencadís" gaudinià, a més de mosaic vidriat, incorpora d'altres materials.

Pinnacles of the Sagrada Familia

The pinnacles of the towering spires are characteristically faced with glazed mosaic collage ("trencadis") and crowned by the Cross and other religious symbols.

サグラダ・ファミリア教会の尖塔

サグラダ・ファミリア教会の尖塔の先端は、モザイク（トゥランカディス）で飾られ、十字架やキリスト教のシンボルが取りつけられている。

6 Pavelló del Park Güell

El pavelló de serveis del Park Güell té una cúpula de tons clars que contrasta amb la pedra ocre més rudimentària dels murs. Una successió de miradors circulars, d'ampits merletats, corona la seva part superior en un gest de gràcil evanescència.

Porter's lodge. Park Güell

The dome of the porter's lodge at the entrance of the park is faced with "trencadis". Their light tones contrast with the ochre-coloured stone walls. A battlement-style, circular balcony surrounds the base of the dome

グエル公園の門番の館

グエル公園の門番の館のドームのモザイクタイル "トゥランカディス" の明るい色彩と壁の黄土色のみごとなコントラスト。ドームの上部には展望台があり、手すりには装飾がほどこされている。

7 Nocturn al Moll de la Fusta

Els darrers anys, el Moll de la Fusta ha simbolitzat l'inici de recuperació de la llenca marítima de la ciutat, un lloc apropiat per al passeig i l'embadaliment.

Moll de la Fusta by night

During the past few years, the Moll de la Fusta has symbolized the reintegration of the city's coastline. An ideal place for walking and contemplation.

モリュ・ダ・ラ・フスタ

ここ数年の再開発のおかげで、モリュ・ダ・ラ・フスタは海岸地区の新名所となった。このあたりは散歩をしたり瞑想にふけるのに最適である。

8 El monument a Colom, al port

Mentre una "golondrina" solca les aigues del port, l'Almirall ens indica la ruta d'Amèrica. Barcelona honora la memòria de Cristòfol Colom amb aquest monument, bastit el 1886, obra de Gaietà Buigas.

Columbus monument in the harbour

Barcelona honours the memory of Christopher Columbus with this monument, built in 1886 by Gaietà Buigas. As a motorboat crosses the marina, the Admiral points the way to America.

港のコロンブス記念碑

バルセローナが誇るクリストバル・コロンの記念碑は1886年に建築家ガィエタ・ブィガスが建てたものである。にるかかなたの海を指さす総督の前を "ゴロンドリーナ遊覧船" がすべり抜ける。

9 Terrasses del Moll de la Fusta

A la part elevada del Moll de la Fusta s'hi han instal.lat bars i restaurants que col.laboren a la creació d'un nou espai d'oci i de lleure de caràcter simpàtic i obert.

Terraces on the Moll de la Fusta

Restaurants and bars have opened on the elevated terrace overlooking the sea on the Moll de la Fusta and have helped to create a new recreational area

モリュ・ダ・ラ・フスタのテラス

モリュ・ダ・ラ・フスタは海にせりした海に近い地区。レストランやバールが多く進出し、市民の新しい憩いの場所となった。

10 "Golondrina" creuant el port

Les "golondrines" són unes embarcacions recreatives molt populars, amb acordionista incorporat, que traslladen els passatgers fins a l'escullera i que, alhora, permeten d'exercir la curiositat i observar amb detall les bigarrades trafiques portuàries.

Motorboat crossing the harbour

These popular recreational craft carry passengers to and from the jetty on sightseeing tours of the harbour and it's activities.

港を遊覧する "ゴロンドリーナ"

"ゴロンドリーナ" は観光客に人気の遊覧船。
防波提ブロックまでのクルージングで港の雰囲気が満喫できる。

11 Visitants al port

El port de Barcelona és d'un tràfec marítim intens i no hi manquen els clàssics transatlàntics ni qualque visitant insòlit.

Visitors to the harbour

The intense maritime traffic of Barcelona's harbour includes classic ocean liners and some unusual visitors.

港のお客様

船が行き交うバルセローナ港。昔ながらの大西洋航海船にまざり、時には、ロマン・ポランスキーが映画 "海賊" を撮影した時に使った船のような珍に出会うことも。

12 Rosetó de l'església del Pi

El rosetó de traç foliat de l'església de Santa Maria dels Reis, o "del Pi", del segle XIV, és d'unes dimensions inusuals en l'arquitectura gòtica religiosa. S'ha dit que és el més gran del món.

Rose window of the Església del Pi

The rose window of the 14th C. Església de Sta. María dels Reis (or del Pi) with it's foliate design, has unusual dimensions for a work of religious Gothic architecture. It is said to be the largest in the world.

ダル・ピ教会のバラ形窓

サンタ・マリア・ダルス・レイス教会、通称"ダル・ピ教会"（14世紀～15世紀）の葉のおい茂る裏側のバラ形窓は、ゴシック様式の宗教建築の中でも比類なき大きさで、世界一とも言われる。

13 El cor de la ciutat medieval

El Mirador del Rei Martí, que pertany a l'antic Palau Reial Major, assenyala el centre del Barri Gòtic. Vora seu, a primer pla, la part superior del Palau del Lloctinent (S. XVI), seu actual de l'Arxiu de la Corona d'Aragó.

The heart of the medieval city

The Mirador del Rey Martí, part of the ancient Palau Reial Major, marks the centre of the Gothic quarter. Next to the watchtower, in the foreground, the roof of the 16th C. Palau del Lloctinent, seat of the Arxiu de la Corona d'Aragó.

中世のたたずまいを残す地区

パラウ・レィアル・マジョー（大王宮）にあるマルティ王の塔が、ゴシック地区の中心である。
その隣りに見えるのは、アラゴン王国古文書館があるリョクティネント宮（16世紀）である。

14 Claustre de la Catedral

Quatre galeries de volta de creueria i un senzill reixat de ferro delimiten aquest jardí interior, amb palmeres i magnolis, al claustre de la Catedral. La remor de l'aigua de la font gòtica i la presència de les oques el converteixen en un dels llocs més bonics de la ciutat.

Cloister of the Cathedral

Four vaulted galleries with wrought iron railings encircle the inner garden. Palm trees and magnolias, the sound of water from the Gothic fountain, the filtered light and the presence of the geese, make this one of the most beautiful places in the city.

大聖堂の回廊

穹窿と鉄製の柵に覆われた4周の回廊が、ヤシや泰山木の木々が茂る中庭を取り巻く大聖堂の内部。ゴシック様式の噴水のせせらぎの音、やわらかな光、庭を歩くガチョウたちが心をなごませ、優美な空間をかもしだしている。

15 Detall barroc del Palau Dalmases

L'escala d'honor del pati interior del Palau Dalmases és una obra mestra de l'escultura barroca catalana. Les columnes salomòniques hi són ornades amb "putti", els cupidons innocents, i parres enroscades.

Baroque detail. Palau Dalmases

The staircase of the inner patio of the Palau Dalmases is a masterpiece of baroque Catalan sculpture. The wreathed columns are adorned with "putti" and climbing vines.

パラウ・ダルマセスの ディテール

パラウ・ダルマセスの中庭の階段は、カタルーニャのバロック彫刻の傑作である。小天使"プッティ"と葡萄のつるで飾られた美しいバロック風ねじれ柱で支えられている。

16 Plaça del Pi

La Plaça del Pi sempre ha estat una de les més estimades de la ciutat. L'absència de tràfec motoritzat li dóna una placidesa que augmenta encara el seu encant. És per això que sol esdevenir un punt obligat de confluència per als visitants del casc antic.

Plaça del Pi

The Plaça del Pi has always been one of the city's best-loved squares. The absence of road traffic allows passers-by to enjoy moments of respite and relaxation.

ピ広場の一角 （松の木の広場）

旧市街の歩行者ゾーンで見うけられる穏やかな光景。
ここは市内でも魅力ある広場のうちの一つだ

17 Botiga d'antiguitats

Són nombroses, al Barri Gòtic, les botigues d'antiguitats que amb la seva presència contribueixen a l'ambientació i a l'encant tan subtil dels seus carrers i places.

Antique shop

The presence of many antique shops in the Gothic quarter contributes to the charm and atmosphere of the streets and squares.

骨董品店

ゴシック地区にはこのような骨董品店が多くあり、このあたりの街並みに独特の雰囲気をかもしだす。

18 Plaça Reial

La Plaça Reial presenta un aspecte de gràcil uniformitat pel fet que els edificis que la delimiten respecten el disseny original de plaça tancada, propi de l'urbanisme francés. La font, les dues faroles que dissenyà en Gaudí i les palmeres alegren una de les places de més caràcter de la ciutat.

Plaça Reial

The Plaça Reial offers this uniform aspect as all the porticoed buildings around it respect the original, French design of a closed square. The fountain, the street lamps designed by Gaudí and the palm trees, are details that enhance the vital character of this square.

プラサ・レィアル

統一されたデザインのプラサ・レィアル（王の広場）。
この"閉じた広場"の設計はフランスの都市計画にヒントを得たものであり、柱廊付きの建物を建てることにより、統一された空間をつくりだしている。ガゥディがデザインした２つの街灯、ヤシの木などが特徴ある広場を演出する。

19 Pa amb tomàquet

A totes hores, sol o acompanyat, el pa amb tomàquet és un plat que fa mengera. De tots els plats típics de la cuina catalana no n'hi ha cap que s'hi pugui comparar en popularitat.

"Pa amb tomàquet"

At all hours, on it's own or with any of it's many complements, no typical Catalan dish can compare with the simple versatility of "pa amb tomàquet".

"パ・アム・トマカッツ"

もっともポピュラーなカタルーニャ料理といえば、"パ・アム・トマカッツ"。

20 Castellers a la Plaça de Sant Jaume

A les diades de festa popular, com les de la Mercè, patrona de la ciutat, les velles tradicions hi tenen un paper rellevant. Aquí veiem com es culmina un castell de "quatre de vuit" davant l'Ajuntament.

"Castellers" in the Plaça St. Jaume

Old traditions play an important role during many popular festivities such as La Merçè, patron saint of the city. Here we see how a "castell" is successfully accomplished in front of the Town Hall.

"カステリェールス"

ラ・メルセーの祭礼に代表される市の守護聖人のお祭りの日には、さまざまな伝統行事が催される。
市庁舎の前でカステーリュ（人間の塔）を組む光景。

21 La Boqueria i les Rambles

De sempre que les Rambles i la Boqueria han estat l'expressió del ritme de la ciutat, la síntesi dels mons que hi conviuen. Una pausa obligada en el trajecte ens permetrà d'accedir al reialme de l'aroma i del color, de les formes i de la vianda.

The Boqueria market and the Rambles

The Rambles have always been a reflection of the rhythm of the city, the synthesis of the many worlds that coexist within it. On the way, step inside the Boqueria market and enter the realm of the aromas, colours, forms and textures of the wares on sale.

ランブラスとボケリーア市場のにぎわい

いつの時代にもバルセローナ市民の息吹が感じられるランブラス。周辺地との統合の結果、目抜き通りに生れわった。道路より少し奥まった場所に位置するボケリーア市場は、種々雑多な食料品がおりなす香りと色彩の宝庫である。

22 Menjador de l'Hotel España

Domènech i Montaner decorà aquest menjador en plena fal.lera del modernisme. Els seus motius marins acompanyen les delicades nimfes a les pintures de les parets i, a l'arrambador, que és de fusta i ceràmica, s'hi reprodueixen els escuts de les províncies espanyoles.

Dining room. Hotel España

Domènech i Muntaner decorated this dining room at the Hotel España at the heigth of Modernist influence. Marine motifs and delicate nymphs appear together on the panels, and the coats of arms of the old kingdoms, domains and cities of Spain are represented on the wooden and ceramic wainscot.

エスパーニャ・ホテルのレストラン

ドメネク・イ・ムンタネールがモデルニスモの絶頂期に装飾したレストラン。波のモチーフと華奢な人魚たちが壁に描かれている。壁の下部に組まれた木枠の間には、セラミック製のスペインの昔の王国、属国、各都市の紋章がはめ込まれている。

23 Les sorpreses de les Rambles

L'espectacle és inesgotable i s'hi pot produir a qualsevol moment. La mateixa gent i el llarg trajecte fins al mar proporcionen tot un seguit de sorpreses, unes producte de l'espontaneitat i d'altres potser un pèl premeditades.

Curiosities in the Rambles

Sometimes spontaneous, sometimes premeditated, the endless diversity of the shows that are put on in the Rambles brings even more life to this already fascinating thoroughfare

ランブラスの魅力

ランブラスの活気は絶えることがなく、人々は海まで続くプロムナードを行き来し、その人波もまた絶えることなく続く。この人の流れにも都市計画の成果がうかがえる。

24 El drac de la casa Bruno Cuadros

El drac xinès que pertany a l'edifici orientalista d'en Josep Vilaseca, al Pla de la Boqueria, s'agermana amb el nombrós clan de dracs autòctons escampat i a l'aguait per tota la geografia ciutadana.

Dragon. Casa Bruno Cuadros

The chinese dragon of Josep Vilaseca's oriental style building in the Pla de la Boqueria, is brother to the many dragons that are dispersed all over the city.

カサ・ブルーノ・クァドロスの龍

ランブラスのボケリーア広場にある、ジョゼップ・ヴィラセカが建てたオリエンタル調の建物。こういった中国の龍は、市内のあらゆる場所に見つけることができる。

25 El Verger de Palau

Entre el Saló del Tinell i l'edifici que avui acull el Museu Marès, trobem aquest raconet tan evocador on antigament el rei en Jaume II plantava murtra i tarongers.

Verger de Palau

Bewtween the Saló del Tinell and the Museu Marès, lies the orchard where King Jaume II (1267-1327) planted myrtles and orange trees.

旧ヴェルジェール・ダル・パラウ

ティネリ広場に隣接する小広場。ここにジャウメ2世が、ギンバイカとオレンジの木を植えた。

26 Detall de la façana de la Catedral

La façana de la Catedral de Barcelona, projectada a finals del S. XIX, no es correspon històricament amb l'edifici, construït entre els segles XIII i XV, tot i que segueix amb fidelitat el dibuix gòtic, datat el 1408, que hom conserva a l'arxiu catedralici.

Detail. Catedral façade

The 19th C. façade does not tally with the rest of the Cathedral that was built between the 13th and 15th C. It does, however, correspond to the original Gothic plans, dated 1408, that are preserved in the Cathedral archives.

大聖堂のファサード

バルセローナ大聖堂は13世紀から15世紀にかけて建てられたが、そのファサードは19世紀になってから造られたものであり、古文書館に保存されていた1408年のゴシック建築の図面に忠実にしたがったものの、当時のものとは異なった趣になっている。

27 Pont gòtic del carrer del Bisbe

Tot i que és de construcció moderna, el pont que uneix el Palau de la Generalitat amb les antigues Cases dels Canonges manté, i fins potser intensifica, la coherència d'aquesta part del Barri Gòtic, propera a la plaça de Sant Jaume.

Gothic bridge. C/ del Bisbe

Although of more recent construction, the bridge that unites the Palau de la Generalitat and the Cases dels Canonges forms a coherent part of the Gothic quarter.

ビスベ通りのゴシック様式の橋

カタルーニャ自治政府庁とカゼス・デルス・カノンジェス（聖堂参事会委員の館）を頭上で結ぶ橋は、比較的新しく建築されたものであるが、サン・ジャウメ広場に隣接するゴシック地区のこのあたりの統一された美しさを一層きわだたせる。

28 Instantànies ciutadanes, I

Nadius i visitants, amb el seu "anar per feina" o amb la seva gansoneria desvagada, són part de la funció. La gent, la "troupe", es fon amb l'escenari i acaba que ens fa manifest el sentit múltiple de la ciutat.

City snapshots I

Both the busy natives and the leisurely strolling visitors are players who merge with the scenario of the city to reveal it's multiple facets.

人々の表情

住民と観光客がとけあう街。それぞれにバルセローナの魅力を再発見したり、感嘆したり……。

29 Bústia de la casa de l'Ardiaca

Aquesta bústia de marbre, amb els motius simbòlics del vol dels ocells i el pas de la tortuga, fou projectada per en Domènech i Montaner al nostre segle. L'edifici, però, té els orígens al segle XII, tot i que el conjunt actual és fruit del segle XVI.

Letter box. Casa de l'Ardiaca

This marble letter box, decorated with symbolic motifs of flying birds and the tortoise, was designed in the present century by Domènech i Montaner. The origins of the casa de l'Ardiaca are to be found in the 12th C., but what we see today is the result of 16th C. renovation.

カサ・ダ・ラールディアカのポスト

12世紀に建てられたカサ・ダ・ラールディアカ（大助祭の館）は、16世紀に現在の形に改築された。このポストはドメネク・イ・ムンタネールの16世紀の作品で、空を飛ぶ鳥と亀のモチーフで飾られている。

30 Pati del Palau Dalmases

La reforma d'un antic palau del segle XV es concretà, al segle XVII, en el que avui és el Palau Dalmases, amb una esplèndida escala barroca porticada al seu pati interior. Avui dia és la seu d'Omnium Cultural, entitat promotora de la cultura catalana.

Courtyard. Palau Dalmases

The renovation of a 15th C. palace gave rise to the 17th C. Palau Dalmases in whose inner courtyard we see a splendid staircase with baroque porches. It is currently the seat of Omnium Cultural, an entity dedicated to the promotion of Catalan culture.

パラウ・ダルマセスの中庭

15世紀に建てられた古い館を17世紀になって改築したのが、現在のパラウ・ダルマセスであり、中庭のバロック風ポーチの階段は圧巻である。ここは現在カタルーニャ文化推進団体であるオムニウム・クルトゥラルの本部となっている。

31 Interior de Santa Maria del Mar

La basílica de Santa Maria del Mar, del segle XIV, incorpora les millors característiques i proporcions del gòtic català, del que n'és la joia. Aquest temple esdevingué el nou centre espiritual d'un barri de mercaders i d'armadors entercats en l'aventura de l'expansió pel mediterrani.

Interior. Sta. María del Mar

The 14th C. basilica of Sta. María del Mar, crowning glory of Catalan Gothic architecture, was considered the spiritual centre of the waterfront quarters by the merchants and shipowners who sailed from Barcelona, bent on expanding their trade routes throughout the Mediterranean.

サンタ・マリア・ダル・マール教会

サンタ・マリア・ダル・マール教会（14世紀）にはカタルーニャ・ゴシックの粋があつめられている。この教会はバルセローナが地中海に向かって拡大した時代の商人と船主の街を象徴するものであった。

32 Cascada del Parc de la Ciutadella

El Grifoll i La Quimera semblen presidir amb elegant supèrbia l'estany encalmat d'aquesta cascada. El conjunt és obra d'en Josep Fontseré i en la seva realització hi col.laborà el jove Gaudí, encara estudiant d'arquitectura, a qui se n'atribueixen les rocalles i algun motiu decoratiu.

Fountain. Parc de la Ciutadella

The griffon and chimera form part of the group of mythological figures that adorns the fountain. The young Gaudí, while still studying architecture, collaborated with Josep Fontseré in this project. The stone chippings and some of the decorative motifs are attributed to him.

シウタデージャ公園の滝

ジョゼップ・フォンセレーの作品である滝を飾るグリーフォとキマイラ。この建築には、まだ建築学校の学生であったガゥディが加わっている。滝の彫刻された石や装飾を施したモチーフに彼らしさがうかがわれる。

33 Panorama des del port

La ciutat oberta al mar fóra potser la imatge que millor podria evocar les seves arrels històriques alhora que ens en desxifraria el futur: al perfil protector de la serra de Collserola hi figura un nou signe identificador per la Barcelona del segle XXI, la torre de comunicacions.

Panoramic view from the harbour

The seaward-looking city would be the image that best evokes Barcelona's historical roots. Above, in the protective outline of the Collserola mountains, appears the communications tower, symbol of the Barcelona of the 21st C.

港から望む市街の風景

海に開かれた街を象徴する風景。歴史が感じられる。バルセローナの守りのコルセローラ山にできたコミュニケーション・タワーは、21世紀のバルセローナの新しいシンボルである。

34 Columnata del Palau de la Música

La característica ornamentació pròpia del modernisme es manifesta omnipresent en aquest edifici d'en Domènech i Montaner. Aquí veiem un conjunt de motius florals i geomètrics a les columnes de la balconada que envolta la sala Lluís Millet.

Colonnade. Palau de la Música

The characteristic ornamentation of Modernist decoration is omnipresent in this building by Domènech i Montaner, such as the floral and geometrical motifs on the colonnade of the terrace that encircles the Lluís Millet Hall.

カタルーニャ音楽堂の柱廊

ドメネク・イ・ムンタネールの手になるこの建物は、内装、外装ともにモルニスモ装飾の宝庫である。リュス・ミリェーを囲むテラスの柱にほこされた花模様と幾何学模様の装飾すばらしい。

35 Palau de la Música Catalana

S'ha dit moltes vegades que el temple del modernisme, la seva culminació estètica, és el Palau de la Música. La sala de concerts i l'escenari formen un espai únic en el que destaquen els grups escultòrics que simbolitzen la música popular i la música clàssica.

Palau de la Música Catalana

Often mentioned as the temple of Catalan Modernism, the Palau is considered by many to be the unrivalled example of the aesthetics of that era. The concert hall and the stage were conceived as one spacious element in which the groups of sculptures, representing both classical and traditional music, are particularly noteworthy.

カタルーニャ音楽堂の内部

カタルーニャ・モデルニスモの頂点も言えるカタルーニャ音楽堂は、過なまでのモデルニスモ装飾建築であ唯一の空間であるこのコンサート・ールは、ポピュラーやクラシック音のシンボルである彫刻で飾りたてられている。

36 Màgia i poesia de les botigues

A la ciutat antiga hi podem trobar botigues carregades d'història, d'encant i de poesia; establiments que han estat i que són artífexs de bona part del caràcter d'un barri: la seva màgia.

Curiosity shops

Throughout the old part of the city, one comes across shops full of enchantment that, even today, are representative of certain aspects of each district.

魅惑的な店がならぶ通り

旧市街のあちこちに歴史の重みが感じられる店がある。魅惑的でしゃれた店の数々。今も昔と変わらず芸術の雰囲気がただよう地区だ。

37 Galera Reial del Museu Marítim

El Museu Marítim, a les úniques Drassanes que es conserven a Europa (S. XIV), és una crònica viva del passat marítim de la ciutat. La Galera Reial de Joan d'Austria, capità general a la batalla de Lepant, ha estat reproduïda al mateix indret on fou bastida al segle XVI.

Royal Galley. Maritime Museum

Great part of the city's naval past can be viewed in the Maritime Museum, in the 14th C. dockyards. A reproduction of the royal galley, used by Juan de Austria as Admiral of the Fleet at the Battle of Lepanto, was built in the same dockyards as the original in the 16th C.

海洋博物館の王室ガレー船

ドゥラサネスにある海辺の海洋博物館。ここでは海洋都市として繁栄した当時の雰囲気が満喫できる。レパントの海戦の総指揮官であったファン・デ・アウストリアが乗った王室ガレー船の模型が、16世紀の建造時は造船所であったこの博物館に展示されている。

38 Escut del Mercat de la Boqueria

L'escut del mercat centenari de Sant Josep, popularment anomenat La Boqueria, domina l'estructura de ferro que agombola el paradís dels bons gourmets.

Coat of arms of the Boquería market

The coat of arms of St. Josep's market, popularly known as the Boquería, dominates the iron structure that encloses a gourmet's paradise.

ボケリーア市場の看板

サン・ジョゼップ市場は通称ボケリーア市場と呼ばれており、この紋章のような看板は、建物に架設された鉄骨とグルメ天国を表している。

39 Mercat de Sant Antoni

Aquest és l'únic mercat de la ciutat que es construí segons les directrius del Pla Cerdà i ocupa tota una illa de l'Eixample. A més de les seves funcions habituals, cada diumenge acull una fira de llibres antics, revistes, postals, cromos, etc., ben interessant.

St. Antoni market

The only marketplace in the city built along the guidelines of the Cerdà Plan, St. Antoni's market occupies a whole block of the Eixample. On Sundays, it's daily function is replaced by a market of antique books, magazines and postcards.

サン・アントニ市場

セルダー・プランに基づいて建設された唯一の市場。日常の賑わいの他、日曜日には古本、雑誌、絵葉書などのユニークな市が開かれる。

40 Fira de Santa Llúcia

Poques ens trobaríem, d'entre les fires que es celebren a la ciutat, que sigui tan popular com la de Santa Llúcia. Entre el dia de la santa i el de l'Epifania, els encontorns de la Catedral acullen nombrosíssimes parades d'arbres i tota casta d'objectes nadalencs.

Fira de Sta. Llúcia

The fair of Sta. Llúcia is, by far, the most popular of the fairs that take place in the city. From December 13th until Epiphany, stalls selling Christmas trees and other seasonal items are set up in the area around the Cathedral.

サンタ・リュシァの祭り

市民にもっとも愛される祭りがサンタ・リュシァの祭りで、12月13日から"東方の三博士来訪"の祝日までの間に行われる。
大聖堂の回りには、クリスマス・ツリーやクリスマスの飾りつけを売る露店がたくさん並び、にぎわいを見せる。

41 Instantànies ciutadanes, II

Espais lúdics, locals tradicionals, omnipresència del tràfec motoritzat...la vida dels barcelonins discorre constant per la mateixa llera...cada dia canviant, com el riu d'Heràclit.

City snapshots II

Between playgrounds, traditions, the omnipresence of traffic and many other situations, the inhabitants of Barcelona live their daily lives.

息づく街角

娯楽施設、伝統が息づく街角、あふれんばかりの車の波……さまざまな顔を見せる街に生きるバルセローナ市民。

42 Rovira i Trias

Amb aquest monument la ex-vila de Gràcia honora la memòria d'Antoni Rovira i Trias, arquitecte i urbanista guanyador del concurs per a l'"Eixample" de Barcelona, que després fou adjudicat a Ildefons Cerdà.

Rovira i Trias

The district of Gràcia perpetuates the memory of the architect Antoni Rovira i Trias with this monument. He was originally awarded the concession for the Eixample, which was later handed over to Ildefons Cerdà.

ロビラ・イ・トゥリアス広場

グラシア地区を代表するアントニ・ロビラ・イ・トゥリアスの記念碑。都市設計家であった彼はバルセローナ拡張計画のコンクールで優勝したが、結局イルデフォンス・セルダーの計画が採用されることになった。

43 Mare Nostrum & maremàgnum

Els barcelonins han recuperat el gust per les seves pròpies platges després d'haver- hi viscut molts anys d'esquena, tot al contrari del Nou Camp del "Barça", on mai no hi ha faltat una vertadera mar d'estusiastes "culés".

Low tide - high tide

Barcelona's beach has won back the city's confidence after many years of disuse and, as a result, is now often crowded. What is always crowded with thousands of enthusiastic supporters is the Nou Camp, home of Barcelona Football Club.

温暖な海

浜辺に打ちよせる地中海の波と、海岸に押し寄せるバルセローナ・サッカークラブの熱狂的なファンの波。どちらの波も暖かいバルセローナの海から生まれたものだ。

44 Plaça dels Països Catalans

El disseny atrevit d'aquesta plaça suscità una viva polèmica entre detractors i defensors del projecte, les característiques del qual responen a criteris avantguardistes de concepció de l'espai.

Plaça dels Països Catalans

The layout of this square has given rise to heated debate between those in favour of it's avant-garde design and it's detractors.

パイスス・カタランス広場

この広場の大胆な設計はこの計画の推進者と反対者のあいだに猛烈な論争を引き起こした。アヴァンギャルドなコンセプトにもとづいた空間の設計となっている。

45 "Dona i Ocell", de Joan Miró

Aquesta soberga escultura presideix el parc Joan Miró, o de l'Escorxador, prop del recinte de Montjuïc. Els motius temàtics s'hi complementen amb els colors més representatius de l'autor.

"Dona i Ocell" by Joan Miró

The "Dona i Ocell" (Woman with bird) statue presides over the Parc Joan Miró (or del Escorxador). The thematic motifs and colours most representative of the artist's work are combined in this superb sculpture.

ジョアン・ミロのドナ・イ・ウセル

モンジュイックの丘に近いエスコル〔ャドル公園にある、ドナ・イ・ウセル（女性と鳥）のモニュメント。巨大〔ブジェのミロ独特の色彩がそのまま〔の作品のテーマである。

46 La casa "de les Punxes"

La casa Terrades, o "de les Punxes", a la Diagonal, entre els carrers de Bruc i Llúria, fou resolta per Puig i Cadafalch en clau neogòtica. El fet d'ocupar una illa sencera de l'Eixample, encara que sigui molt petita, li dóna una cohesió extraordinària.

"Casa de les Punxes"

The casa Terrades or "de les Punxes", situated between C/ Bruc and C/ Llúria, was built on neogothic lines by the architect Puig i Cadalfach. It occupies a whole block, albeit a small one, of the Eixample.

"レス・プンシャス"集合住宅

ディアゴナル地区のブルック通りと〔ュリア通りの間にあるレス・プンシャス集合住宅は、プッチ・イ・カダフルクがネオ・ゴシック様式に影響を〔けて設計した傑作である。エシャム〔レの一ブロック全体を占めており、ときわ目立つ集合建築となっている

47 Fundació Antoni Tàpies

Aquesta Fundació, avui centre d'una intensa activitat cultural, té la seu en l'edifici d'en Domènech i Montaner darrerament restaurat, obra que a la seva època ja era a l'avantguarda del modernisme català. L'escultura "Núvol i cadira", del mateix Tàpies, ocupa la part superior de l'edifici.

Fundació Antoni Tàpies

The Fundació Antoni Tàpies, a centre of intense cultural activity, occupies this building by Domènech i Montaner, considered at the time of it's construction to be a pioneer of Catalan Modernism. On the roof, the sculpture "Núvol i Cadira" (Cloud and Chair) by Tàpies.

アントニ・タピエス財団

文化事業団体であるアントニ・タピス財団はドメネク・イ・ムンタネーの建物を修復した中にある。カタルニャ・モデルニスモのパイオニアというべき建物であり、建物の上部に"ヌーヴル・イ・カディーラ"（雲と〔子）の彫刻がある。

48 Vitralls de la casa Lleó Morera

L'extraordinari finestral semicircular amb vitralls de l'antic menjador de la casa Lleó Morera és d'una rara originalitat tècnica i formal, fruit de la col.laboració entre l'arquitecte Domènech i Montaner, el pintor Josep Pey i els vidriers Joan Rigalt i Jeroni Granell.

Stained-glass. Casa Lleó Morera

The semicircular stained-glass window of what was the dining room of the casa Lleó Morera is extraordinary both for it's initial concept and the originality of the techniques involved. The painter Josep Pey and the glass-makers Rigalt and Granell took part in it's creation.

カサ・リェオ・イ・モレラのガラス窓

グラシア大通りにあるカサ・リェオ・イ・モレラの古い食堂の半円形のガラス窓は、技法、フォルムともに独創的なことで知られている。画家ジョゼッブ・ペイと、ガラス職人ジョアン・リガルトゥ、ジェローニ・グラネィーリの作品。

49 Terrat escalonat de la casa Milà

La innovació creativa de La Pedrera és constant des del soterrani fins a les xemeneies, on podem observar alguns detalls insòlits, com és ara l'emplaçament de les golfes, sota el trespol escalonat dels terrats, així com la situació de les enigmàtiques xemeneies.

Terraced rooftop. Casa Milà

The originality of the design of la Pedrera is constant throughout the building from the basement to the roof, where we see interesting details such as the garret windows below the terraced rooftop and the enigmatic chimney stacks.

カサ・ミラの階段状のテラス

ラ・ペドゥレラの地下室から屋上まであらゆる場所にちりばめられたガゥディの独創性。テラスの階段状の床の下に造られた屋根裏部屋、風変わりな煙突など、そのディテールは非常に興味深い。

50 Balconada de la casa Milà

A la façana de la casa Milà s'hi desplega, en síntesi, una bona part de l'originalitat i dels conceptes estètics i constructius de l'evolució d'en Gaudi. Aquí, la contundència de la pedra és la base del ritme i de l'harmonia que prenen les formes.

Balcony. Casa Milà

The façade of the casa Milà synthesises the originality of Gaudí's concept of architecture and his aesthetic evolution. The force of the stone is not lacking in rhythm and harmony.

カサ・ミラのバルコニー

カサ・ミラのファサードはガゥディの独創性と新しい建築に対するコンセプトおよび美意識のすべてが凝縮したものとなっている。固い石のかたまりがリズミカルにうねりながらも調和しており、生命感があふれている。

51 Casa Batlló

La casa Batlló, una obra que ja és de maduresa, anuncia La Pedrera amb les seves formes ondulants i la disposició dels balcons i les tribunes. La resolució de la coberta, ben original, certament, no és sinó la culminació d'una façana policroma sorprenent.

Casa Batlló

The ondulating forms and the layout of the balconies of the casa Batlló, a work of maturity, give an indication of what will follow in la Pedrera. The original roof is the culmination of the polychromatic façade.

カサ・バトリョ

ガゥディ絶頂期の作品であるカサ・バトリョは、出窓式バルコニーの波型デザインとその配置に、ラ・ペドゥレラの原形を見いだすことができる。ファサードの華麗な装飾は屋根の先端で頂点に達する。

52 Interior de la casa Batlló

La part inferior del celobert de la casa Batlló, on neix l'escala, Gaudí la revestí amb rajola vidriada de tons blaus més clars que els de la part superior. Aquesta disposició tan subtil provoca un aparent equilibri visual en la gradació de la llum diürna.

Interior. Casa Batlló

Gaudí decorated the walls of the stairwell with glazed tiles of progressively lighter shades of blue from top to bottom, with the aim of creating the impression of balanced light.

カサ・バトリョの内部

ガゥディはカサ・バトリョの光のある中庭部分を修復した。ここにはエレベーターがあり、ガラスのタイル片の色調が上から下に降りるにつれ明るい色調に変わるのがわかる。自然光の照明による微妙なバランスをねらったものである。

53 Xemeneies de la casa Batlló

Una vista frontal de la façana no en permet una apreciació directe, però el grup de xemeneies de la casa Batlló és un detall més de la importància que tenia per a l'arquitecte el terrat de l'edifici, a més de la simbologia que s'hi concreta, amb la "Espinada del drac" i la doble creu al fons.

Chimney stacks. Casa Batlló

This group of multi-coloured chimney stacks, invisible from the ground, is another indication of the importance the architect endowed on the rooftop area.

カサ・バトリョの煙突

カサ・バトリョの不思議な煙突群は、前方からファサードを見上げてもどこにも見えない。ガゥディはこの建物の重要なポイントの一つを屋上においたのである。

54 Detall de la casa Amatller

Com a d'altres obres contemporànies seves, la inspiració neogòtica domina l'execució de la casa Amatller, d'en Puig i Cadafalch (1900). El seu coronament, ornat amb ceràmica policroma, presenta una cresta escalonada.

Detail of roof. Casa Amatller

As in many other buildings by Puig i Cadafalch, neogothic influence is obvious in the casa Amatller. The tiered crown of the house is adorned with multi-coloured ceramic.

カサ・アマッリェールのディテール

プッチ・イ・カダファルクの作品であるカサ・アマッリェールはネオ・ゴシック様式である。階段状になった切妻部分の先端が彩色タイルで飾られている。

55 Eixida al terrat de la casa Milà

Aquesta solució per a la coberta d'un ull d'escala, amb el "trencadís" de ritual, sembla com si volgués seguir ascendint fins a l'infinit per la seva forma helicoïdal. La seva funció és doble: eixida al terrat i element ventilatori.

Access to the rooftop. Casa Milà

This point of access to the rooftop doubles as a ventilation duct. It's spiral form is faced with "trencadis" and crowned by a double cross.

カサ・ミラの屋上へ

カサ・ミラの階段をおおう屋上の塔はモザイク "トゥランカディス" がほどこされ、螺旋状に上昇する。これは換気扇でもあり屋上への出口でもある。

56 Detalls modernistes

El modernisme català donà lloc, al seu torn, a una bella florida de les arts aplicades; a gairebé tots els projectes arquitectònics hi tenien cabuda realitzacions prou acurades d'ebenisteria, forja, vidrieria, ceràmica i moltes altres tècniques artesanals.

Modernist details

Applied arts and handicrafts flourised during the Catalan Modernist period. In all architectural projects, ample room was made for the skill of cabinet-makers, foundries, glass-makers, ceramists and other craftsmen.

モデルニスモの街並み

幅広い芸術の分野と職人の伝統工法に花開くカタルーニャ・モデルニスモ。すべての建築プロジェクトには家具工房、鍛冶場、ガラス工房、セラミック工場などでの作業が組み込まれていた。

57 Panoràmica aèria de la Sagrada Família

Des del seu enclavament a l'Eixample, el temple de la Sagrada Família ha esdevingut símbol inconfusible de Barcelona arreu del món. A la seva execució Antoni Gaudí dedicà gran part de la seva vida, malgrat que no el pogué veure culminat.

Aerial view of the Sagrada Família

The Temple of the Sagrada Família, located in the Eixample district, is the unmistakable symbol of Barcelona, the world over. Gaudí dedicated most of his life's work to it's creation, but was unable to see it completed.

サグラダ・ファミリアのパノラマ

エシャムプレにあるサグラダ・ファミリア教会は今ではすっかりバルセロナのシンボルとなっている。ガゥディはこの教会の建築に生涯の大半をついやしたが、その完成を見ることはできなかった。

58 Detall de la façana del Naixement

De les tres façanes que tindrà el temple, aquesta és l'única que Antoni Gaudí va veure acabada. En destaca l'ornamentació naturalista tan exhuberant, amb grups escultòrics, animals, plantes i d'altres elements simbolistes relatius a la fe cristiana.

Detail. Nativity façade

Of the three façades that will eventually form the completed Sagrada Família, this was the only one to be finished in Gaudí's lifetime. Particularly noteworthy is the lush naturalist ornamentation that combines animals and plants with Christian symbols.

生誕のファサードのディテール

サグラダ・ファミリアの3つのファサードのうちガゥディの生前に完成したのは、このファサードだけである。動物、植物などの自然界の彫刻と、キリスト教に関連した彫像による装飾がみごとである。

59 Pont entre dues torres

La possibilitat de recórrer les seves interioritats estructurals facilita un contacte més directe i emotiu amb aquesta obra cabdal d'en Gaudí, resum de tot el seu talent arquitectònic.

Bridge between two spires.

To visit behind the scenes of the work in progress is to come into closer contact with Gaudí's masterpiece, the summary of his genius as an architect.

2本の側塔を結ぶ橋

生誕のファサードから中に入ればガゥディの代表的傑作であるこの橋のすばらしさをじかに感じることができる。彼の建築家としての粋をあつめた作品である。

60 La Sagrada Família, per dins

Al projecte original cada torre havia d'allotjar una campana tubular situada a l'eix de l'escala helicoïdal. Com un orgue monumental, el conjunt emetria un repic inusual, un missatge sonor modulat per la gelosia que formen els milers d'orificis dels cloquers.

Interior. Sagrada Família

According to Gaudí's project, each bell tower would house a cylindrical bell, lodged in the well of the spiral staircase. The many orifices of each tower would modulate the sound of the peals, creating a unique ensemble.

サグラダ・ファミリアの内部

生誕のファサードの内部は、外側にくらべ簡素な造りになっている。鐘楼の螺旋階段にあいた大小さまざまの穴からは建物の内部構造が見渡せるし、ファサードの片隅に予想外の装飾を見つけることがあるかもしれない。またこの穴のおかげで、鐘の音がいくとおりにも変化して鳴り響いていくのが楽しい。

61 Banc de la plaça. Park Güell

És habitual que aquest banc ondulat, que delimita la plaça superior del Park Güell, el públic l'ompli de vida i de gatzara. La seva secció, obtinguda del perfil ergonòmic d'una persona asseguda, i la disposició en meandres fan que sigui especialment apte per acollir la típica tertúlia mediterrània.

Serpentine bench. Park Güell

The bench, that marks the boundary of the main square, meanders around the perimeter, forming semi-circular recesses. It's layout and anatomical form, said to have been moulded from the imprint made by a sitting person, make it an ideal spot for people to indulge in the typically Mediterranean pastime of getting together to talk.

グエル公園の広場のベンチ

グエル公園の広場を区切る波形ベンチは"トゥランカディス"（モザイク）技法が取り入れられており、多彩なタイル装飾の効果がすばらしい。実際に人を座らせて型どったというカーブのベンチは、地中海のまばゆい陽光の中、出会いやおしゃべりの時を過ごすのに理想的である。

62 Un parc protegit per la UNESCO

Eusebi Güell encarregà a Gaudí un projecte de ciutat-jardí residencial per influència de les idees dels reformadors socials anglesos de finals de segle. Les obres duraren des del 1900 al 1914. Al 1984 fou declarat Patrimoni de la Humanitat per la UNESCO.

A park protected by UNESCO.

Eusebi Güell, influenced by the idealogy of English social reformers, commissioned Gaudí to create a project for a residential garden city. The work was carried out between 1900 and 1914, and in 1984 it was placed under an international preservation order by UNESCO.

ユネスコ保護下の公園

イギリスの都市改革思想の影響を受けたエウセビ・グエル氏は、ガゥディに都市庭園住宅の設計を依頼した。1900年から1914年にかけて工事が行われたが、結局1984年にはユネスコの保護下におかれた。

63 El drac de l'escalinata. Park Güell

El drac que hi ha a la doble escalinata d'accés és un dels símbols famosos del Park Güell. Una interpretació mitològica el faria un protector de les aigües subterrànies probablement emparentat amb Pitó, l'ajudant del déu dèlfic Apol.ló.

Dragon on the staircase. Park Güell

The dragon that decorates the double staircase at the main entrance to the Park Güell, is one of the it's best-known symbols. It represents the mythological guardian of the subterranean waters.

グエル公園の正面階段の龍

グエル公園の正面階段を飾る龍は公園のシンボルの一つである。神話にちなみ、龍は地下水の守護神と考えられている。

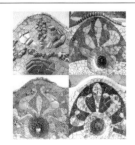

64 Composicions del banc. Park Güell

Les insòlites formes i múltiples colors del "trencadís" del banc són una mostra de la fructífera col·laboració entre Gaudí i Jujol, tot i que no s'han de menystenir les aportacions espontànies dels artesans que el construïren. Hom hi emprà ceràmica de diverses procedències, excepte a l'acabat superior, de peces fabricades a posta.

Compositions of the bench. Park Güell

The unusual, multicoloured forms of the "trencadis" are an example of the joint work of Gaudí and Jujol. Spontaneous contributions by the craftsmen involved in the building process are not to be ruled out. The ceramics were of various origins, except for those that form the outline of the back, which were custom-made.

グエル公園のベンチの構造

トゥラン・カディス（モザイク）の多彩な色彩、一風変わった形のベンチは、ガゥディとジョゼップ・マリア・ジュジョールの協力により誕生した。またベンチを造った職人の腕に負うところも大きい。ここで使われているセラミックは、ベンチの裏側の特別に造られたもの以外、いろんな場所から運ばれてきたものである。

65 Formes premonitòries

Moltes de les composicions que apareixen a la superfície del banc sembla com si ens oferissin, en les seves formes i tonalitats, una anticipació de moviments artístics posteriors.

Premonitory forms

In many of the compositions that appear on the bench, clear indications of subsequent artistic movements are to be found.

グエル公園のベンチのディテール

ベンチの随所にみられる多彩な色合いや独特のフォルムは、その後の建築様式の傾向に大きな影響を与えている。

66 Rampa circular del Park Güell

La mateixa topografia on es construïa el parc, abrupte i silvestre, permeté a Gaudí d'expressar la seva idea de natura racionalitzada. Ho podem comprovar als viaductes, que formen pòrtics de pedra tosca extreta al mateix indret.

Circular promenade. Park Güell

The uneven topography of the land on which he created the Park, was put to good use by Gaudí in his attempt to express the idea of rationalized nature. Here we see the superimposed viaducts of rough stone, extracted from the same site, and the arcade they form below.

グエル公園内を巡る斜面

公園が建てられた土地の起伏を利用して、ガゥディは自然と合理性の調和を証明しようとした。内側が回廊になっているこれらの2重構造の陸橋は、同じ場所から切り出した粗石で造られている。

67 Galeria porticada. Park Güell

Les columnes inclinades i el mur de contenció de la llarga galeria porticada s'adapten al pendent natural del terreny i s'enllacen tot formant una volta de tartana, o de canó.

Porched arcade. Park Güell

The oblique columns and retaining walls of the long gallery, follow the natural slope of the land and form a barrel vault where they meet.

グエル公園の回廊

回廊を支える斜めになった柱と擁壁は自然な傾斜状の土地を半円筒の穹窿を形づくりながら延々と続いている。

68 Jardins. Park Güell

El Parc Güell és l'obra urbanística més completa i representativa d'en Gaudí, la seva aportació més específica al desenvolupament del modernisme. En conjunt, i al marge d'altres aspectes creatius, és remarcable l'harmonització entre els elements geològics i vegetals.

Gardens. Park Güell

The Park Güell is the most complete and representative of all Gaudí's planning projects. The movement away from past styles is obvious in this work, his most specific contribution to the development of Modernism. The harmony achieved between stonework and vegetation is particularly outstanding.

グエル公園の庭園

ガゥディは都市庭園としてもっとも完成度が高く、彼の代表的作品でもあるグエル公園を、英国の庭園都市の発想を取り入れて設計した。ゆたかな創造性にあふれているばかりでなく、自然の土地と植物をみごとに調和させている。

69 Columnata dòrica. Park Güell

Una part de l'esplanada superior, la sostenen vuitanta-sis columnes dòriques que formen un recinte inicialment destinat a ser el mercat de la ciutat-jardí. El mosaic que revesteix el sostre alterna amb rosasses projectades per J. M.ª Jujol, segons les directrius d'A. Gaudí.

Doric colonnade. Park Güell

This hall of eighty-six doric columns that support part of the upper square, was destined for use as the marketplace. The white mosaic that covers the ceiling alternates with multi-coloured decorative emblems designed by Jujol, following Gaudí's guidelines.

グエル公園のドリス神殿式列柱

広場を支える二重構造の86本のドリス神殿式列柱。この空間は市場として考案されたものである。天井には白いモザイク・タイルと大小の多彩な装飾モチーフが交互にはめこまれている。この装飾はガゥディの指示にもとづきジュジョールが担当した。

70 Viaducte del Park Güell

Aquest viaducte, decorat amb menhirs de pedra al natural coronats amb jardineres és un altre exemple clar de la voluntat simbiòtica entre arquitectura i naturalesa que obsessionava Gaudí.

Avenue. Park Güell

This avenue is adorned with natural stone menhirs topped with flowerpots, another clear example of the alliance between architecture and nature that so obsessed Gaudí.

グエル公園の散歩道

この遊歩道はここから切り出した自然石で造られ、先端には装飾用植木鉢が置かれている。公園内のほかの場所と同様に自然を力強く表現したものになっている。

71 Vestíbuls gaudinians

Tots els espais d'un projecte tenen importància en la dinàmica gaudiniana. Tant el vestíbul de La Pedrera, pensat també per a vehicles, com el recinte amb pilastra del Park Güell, capaç per a dos o tres carruatges, són tractats amb la mateixa cura que una planta noble.

Vestibules by Gaudí

All the spaces that form part of a building were of relevance within Gaudí's projects. The vestibule of the casa Milà was also destined to house vehicles. The open porch with central supporting pillar in the Park Güell was meant as a shelter for horse-drawn carriages.

ガゥディ建築にみるホールとあずまや

カサ・ミラでは、室内の見学の前にまずこのホールで興味深いディテールをみることができる。グエル公園の中央に柱があるあずまやは、馬車2～3台の停車場所として考案されたものである。

72 Detall de la casa Amatller

Entre les referències neogòtiques emprades a la casa Amatller hi ha aquest relleu mitològic de Sant Jordi, obra de l'escultor Eusebi Arnau.

Detail. Casa Amatller

This relief of St. George and the Dragon, by Eusebi Arnau, is one of the neogothic details to be found in the casa Amatller.

カサ・アマッリェールのディテール

ネオ・ゴシック様式のカサ・アマッリェールには、カタルーニャの歴史とは切り離せないサン・ジョルディ伝説にもとづき、エウセビ・アルナウによるドラゴンの彫刻がほどこされている。

73 Interior del Palau Macaia

L'ornamentació a base de relleus florals a l'escala i el treball de forja del reixat, en la seva pulcritud donen un aire de serenitat a aquest pati interior del Palau Macaia, obra de Puig i Cadafalch, al Passeig de Sant Joan.

Interior. Palau Macaia

The inner courtyard of Puig i Cadafalch's Palau Macaia in the Passeig de St. Joan, clearly shows the floral relief and wrought iron work so typical of the Modern Style period. Here, the clean lines emphasise the overall effect.

カサ・マカヤの内部

プッチ・イ・カダファルクが設計したサン・ジョアン大通りのパラウ・マカヤの中庭は、モデルニスモの代表傑作の一つで、階段の花模様のレリーフと鍛鉄製の格子は、その後のモデルニスモ建築の手本になった。

74 Escala de la casa Manuel Felip

Són incomptables els detalls atractius i interessants que el modernisme escampà per tot l'Eixample. N'és una altra mostra aquesta escala realitzada per l'arquitecte Telm Fernández.

Staircase. Casa Manuel Felip

Countless attractive and interesting details appeared throughout the Eixample district during the Modern Style period. This staircase, designed by the architect Telm Fernandez, is yet another example.

カサ・マヌエル・フェリップの階段

エシャムプレ地区には数え切れないほど多くのモデルニスム建築物がある。テルム・フェルナンデスによるこの階段もそのうちの一つである。

75 Porta del drac. Finca Güell

Per a la porta principal de la Finca Güell, a Pedralbes, Antoni Gaudí concebí aquest extraordinari drac de ferro forjat tot inspirant-se en el que servava l'entrada del mitològic Jardí de les Hespèrides. El seu cos reprodueix la posició de les estrelles a les constel·lacions del drac i d'Hèrcules.

Dragon Gate. Finca Güell

Inspired by the guardian of the mythological garden of the Hesperides, Gaudí's extraordinary wrought iron dragon adorns the main gateway to the Güell estate in Pedralbes. It's form reproduces the position of the stars in the dragon and Hercules constellations.

エスペリデスの園の龍

この珍しい鉄の龍はガッディがペドラルベスにあるグエル別邸の厩舎の門に取りつけたものである。エスペリデスたちが守った楽園の門、この神話にちなんだものという。その形は、ヘラクレス座と龍座の星の位置をかたどって再現したものである。

76 Fundació Joan Miró. Montjuïc

Josep Lluís Sert realitzà aquest projecte per acollir la col.lecció d'obres que en Joan Miró donà a la ciutat. Al mateix temps, és la seu del Centre d'Estudis d'Art Contemporani.

Fundació Joan Miró. Montjuïc

Josep Lluís Sert was responsible for the building that was to house both the works donated to the city by Joan Miró, and the Centre d'Estudis d'Art Contemporani.

フンダシオ・ジョアン・ミロ

ジョゼップ・リュイス・セルトがジョアン・ミロの寄贈作品のコレクションを目的に設立した財団。現代美術研究所でもある。

77 Interior de la Fundació Joan Miró

Fins avui, la Fundació Miró s'ha manifestat com el museu més actiu de la ciutat. A més d'acollir la mostra permanent de l'obra de l'artista, organitza d'una manera continuada exposicions i actes culturals diversos.

Interior. Fundació Joan Miró

At the present time, the Fundació Miró is the most active museum in the city. Apart from the permanent showing of the artist's work, the museum continuously offers other exhibitions and cultural events.

フンダシオ・ジョアン・ミロ の内部

現在、フンダシオ・ジョアン・ミロは市内でもっとも活気にあふれた美術館である。これらのミロの作品の常設展示のほか、彫刻の間では、さまざまな作品の展示や文化活動がひんばんに催される。

78 Terrassa del Moll de la Fusta

L'aspecte nocturn d'aquesta terrassa, presidida pel llamàntol d'en Javier Mariscal, fa propícia l'atmosfera fantasiosa que cerca el noctàmbul.

Terrace. Moll de la Fusta

The lobster designed by Javier Mariscal creates an atmosphere of fantasy in this night-time view of the terrace.

モリュ・ダ・ラ・フスタのテラス

ハビエル・マリスカル氏デザインのロブスターがあるレストランの夜の光景。ファンタジックなムード満点。

79 La ciutat als peus del Tibidabo

Amb la darrera llum del capvespre s'encenen les primeres de la ciutat. Als peus del Tibidabo, Barcelona és observada des de la talaia del parc d'atraccions. Aquí han brollat, al seu moment, moltes de les il.lusions infantils dels barcelonins.

The city at the foot of the Tibidabo

With the last rays of the evening sun, the first lights go on in the city. From the watch tower of the amusement park, Barcelona is seen at the foot of the Tibidabo mountain.

ティビダボ山のすそ野にひろがる市街

夕暮れどき、街に灯がともり始める。ティビダボ山にあるアタラヤ遊園地からはバルセローナ市内が一望できる。ここはバルセローナの子供たちの夢の国だ。

80 Torre de telecomunicacions

Norman Foster és l'autor d'aquest disseny tan modern de la nova torre de telecomunicacions destinada a centralitzar i millorar els serveis que fan ús d'aquesta tecnologia. Es dreça a la serra de Collserola, i fa 260 metres d'alçada.

Telecommunication tower

Norman Foster designed this modern telecommunication tower which will centralise and improve the services that depend on these technologies. It soars 260 m. above the Collserola mountains.

テレビ塔

ノーマン・フォスターの手によるモダンな設計のテレビ塔。新しいテクノロジーによる通信サービスの集中化と改善が期待できる。コルセローラ山脈の標高260メートルに位置する。

81 Bars i locals nocturns

Els darrers anys la vida nocturna de Barcelona ha experimentat una expansió insospitada. El protagonisme del disseny ha estat constant en la concepció dels nous locals que alegren la nit de la ciutat.

Bars and nightspots

The city's nightlife has been thriving in recent years. High-tech design plays an important role in the new bars and nightspots.

バールとナイト・スポット

ここ数年ナイト・ライフはまさにブームである。バルセローナの夜を華やかに盛り上げる新しいナイト・スポットのデザインに注目が集まる。

82 Casa Arnús, "El Pinar"

El modernisme, en la seva expressió ornamental més epidèrmica, fou adoptat, seguint la moda, per corrents més conservadors i eclèctics, com és el cas d'aquesta obra de l'arquitecte Enric Sagnier, d'inspiració gòtica, que sorgeix mig oculta entre les ombres del Tibidabo.

Casa Arnús "El Pinar".

Modernism, in it's most superficial expression, was adopted by the more conservative and eclectic elements of the time. This mansion of neogothic lines, by Enric Sagnier, takes on special relevance here among the shadowy slopes of the Tibidabo.

カサ・エル・ピナル

市内に点在するモデルニスモ建築のなかでも、カサ・エル・ピナルはもっとも代表的な作品であろう。建築家サクニェールはティビダボ山のふもとの陰のなかに、ゴシック様式のインスピレーションをそそぎ込んだあざやかな建物を出現させた。

83 L'Anella Olímpica de Montjuïc

L'entorn de l'Anella Olímpica, amb les noves instal.lacions esportives, com el Palau Sant Jordi i l'Estadi Olímpic reformat, s'ha convertit en un espai d'oci espectacular i atractiu de gran importància ciutadana.

The Olympic Area. Montjuïc

The presence of the new sporting installations, such as the Palau Sant Jordi and the rebuilt Olympic Stadium, have been decisive in the spectacular urban development around the Olympic Area, which has become an important recreation zone.

モンジュイックのオリンピック競技場

パラウ・サン・ジョルディの建設やオリンピック・スタジアムの改造などのスポーツ施設の整備がすすむオリンピック競技開催地。現在この付近は市民の一大レクレーション・スペースとなっている。

84 Aurigues de Pablo Gargallo

Els dos aurigues que ja regien l'antic Estadi de Montjuïc dominen ara, des del cim de les portes d'accés, la magnífica perspectiva del Palau Sant Jordi i la resta de l'Anella Olímpica.

Charioteers by Pablo Gargallo

The two charioteers, that were present in the Montjuïc Olympic Stadium before it's renovation, now look out over the splendid sight of the Palau Sant Jordi and the rest of the Olympic area from their viewpoint at the top of the main entrance.

パブロ・ガルガージョの御者

モンジュイックの旧オリンピック・スタジアムにあった2人の御者の影像は現在は入り口ゲートに設置されており、パラウ・サン・ジョルディやオリンピック会場を見下ろしている。

85 L'escama del drac

La col.ıocació en escama de les peces ceràmiques suscita un efecte prodigiós en una teulada significativament anomenada "l'espinada del drac", apoteosi de l'al.legoria al mite de Sant Jordi que es desplega per tot l'edifici de la casa Batlló.

Scales of the Dragon

The superimposed ceramic tiles produce the surprising effect that gives it's name to the "Dragon's Backbone" that crowns the casa Batlló. The myth of St. George and the Dragon is symbolically represented all over the building.

カサ・バトリョの屋根のディテール

カサ・バトリョの屋根を飾るセラミック・タイルのディテール。
サン・ジョルディ神話にちなみ、龍をイメージしたものといわれる。

86 "Matí", de Georg Kolbe

El 1985 es reconstruí el pavelló d'Alemanya a l'Exposició del 1929, obra de Mies van der Rohe, amb els mateixos materials i mobiliari originals. Al pati hi podem tornar a veure el "Matí", rèplica en bronze de l'anterior, que era de guix. El seu original, però, obra de G. Kolbe, és als jardins de l'Ajuntament de Berlín.

"Morning" by Georg Kolbe

The German pavillion by Mies van der Rohe for the 1929 Barcelona International Exhibition, was rebuilt in 1985 on the same site, using the original construction materials and furnishings, as was this bronze replica of Kolbe's plaster sculpture, the original of which stands in the Town Hall of Berlin.

ジョージ・コルベの彫刻

1929年のバルセローナ万博でミエス・ヴァン・デル・ロヘが建てたドイツ館は、1985年、同じ場所にもとの家具、内装などをそのままに修復された。中庭のジョージ・コルベが彫刻したレプリカもその一つであり、オリジナルはベルリンにある。

87 Mamut del Parc de la Ciutadella

Per entre els racons i raconets del Parc de la Ciutadella podem descobrir "l'hàbitat natural" d'aquest esplèndid Mamut prehistòric.

Mammouth. Parc de la Ciutadella

Hidden away in the Parc de la Ciutadella, we come across the domain of the prehistoric mammouth.

シウタデージャ公園のマンモス

シウタデージャ公園の数あるモニュメントの中でみつけたマンモス。

88 Laberint d'Horta

El Laberint és part d'una antiga hisenda amb edificacions neoclàssiques, avui dia parc públic, situada prop del velòdrom d'Horta. El recinte mitològic és al centre dels seus amplíssims jardins.

The Maze of Horta

The maze can be found at the centre of the spacious gardens, today a public park, of an old, neoclassic country house near the Horta velodrome.

オルタの迷路

ネオ・クラシック風の古い別荘にある迷路。オルタ競輪場のすぐそばにあり、現在は公共の公園になっている。広大な庭園の中心には神話に出てくるようなあずまやがある。

89 Pont de Bac de Roda

Obra de l'enginyer i arquitecte Santiago Calatrava, aquesta escultura simbolitza la nova realitat viària de Barcelona. Enllaça els sectors nord i sud dels barris de llevant de la ciutat.

Bac de Roda bridge

This bridge-sculpture by the engineer and architect Santiago Calatrava symbolizes Barcelona's new road network, and joins the northern and southern sectors of the east side of the city.

バック・ダ・ロダ橋

サンティアゴ・カラトラバの作品で、市内東部の北と南を結ぶこの橋は、鉄道をまたぐ形で設計されており、当時の街の景観に画期的なインパクトを与えた。

90 Parc de L'Espanya Industrial

Concebut a la manera d'unes termes romanes modernes, el parc s'inscriu en una certa voluntat de tradició mediterrània. A l'entorn de l'aigua, la vegetació i les grades voldrien acollir el passejant per oferir-li un racó de calma i tranquil·litat en una zona densament poblada.

Parc de L'Espanya Industrial

Conceived on the lines of a modern Roman spa, the park has been designed after Mediterranean traditions. Around the water, the vegetation and the tiers of steps offer an oasis of peace and quiet in the midst of a densely populated district.

エスパーニャ・インドゥストゥリアル

ローマの公衆浴場の現代版をイメージしたこの公園では地中海の伝統美がよく生かされている。人々は水際の木々のあいだを散策したり階段テラスにすわったりして、都会の喧騒をはなれ静かに時を過ごす。

---

91 Vida nocturna

A Barcelona encara hi sobreviuen uns quants locals, testimoni de velles tradicions d'oci i de vida nocturna, hereus de la revista i del music-hall.

Nightlife

In Barcelona, some places still survive where the nightlife follows the old traditions of music-hall entertainment and revues.

ナイト・ライフ

バルセローナにはまだこういった伝統的なナイト・ライフ・スポットが多くあり、レビューとミュージック・ホールも受け継がれている。

92 Gratacels de la Nova Icària

L'Hotel Arts i la Torre Mapfre han esdevingut els edificis més representatius del nou perfil marítim de Barcelona; ambdós es situen al barri de la Nova Icària, Vila Olímpica durant els Jocs del 1992.

Skyscrapers of la Nova Icaria

The Hotel Arts and the Torre Mapfre have become the most representative buildings in the new skyline of Barcelona's coastal area. Both are to be found in Nova Icaria, the Olympic Village for the 1992 Games.

ノヴァ・イカリアの摩天楼

アルツ・ホテルとマップフレ・タワーはバルセローナの新興海岸地区を代表する建物である。1992年のオリンピック村となるノヴァ・イカリアの一画にある。

93 Palau Sant Jordi

El Palau Sant Jordi, obra de l'arquitecte japonès Arata Isozaki, és la més simbòlica de les construccions que configuren l'Anella Olímpica de Montjuïc. La seva execució és fruit d'una complexa obra d'enginyeria informatitzada.

Palau Sant Jordi

The Palau Sant Jordi, work of the Japanese architect Arata Isozaki, is the most symbolic of the buildings that comprise the Montjuïc Olympic Area. It's construction was made feasible by a complex system of computerised engineering.

パラウ・サン・ジョルディ

日本人建築家、磯崎新氏が設計したパラウ・サン・ジョディはモンジュイックのオリンピック会場のメイン・ホールである。情報工学を駆使した建物である。

94 Nit olímpica a Montjuïc

El foc olímpic presideix la nit a l'Estadi, alhora que la llum i l'aigua, amb la perspectiva del Palau Nacional i les Fonts de Montjuïc, transformen amb la seva màgia la tèbia nit d'estiu.

Olympic night at Montjuïc

The Olympic flame presides over the stadium as the spectacle of light and water, with the Palacio Nacional and the Montjuïc fountains in the background, bring an air of magic to the warm summer night.

モンジュイックのオリンピックの夜

スタジアムの上方で燃えるオリンピックの聖火。
国立宮殿をバックに、モンジュイックの丘の噴水がきらめく夏の夜を優しく彩る光と水の饗宴。

95 El Moll de la Fusta des del mar

Una vegada recuperat per a la ciutat, el Moll de la Fusta, amb el Tibidabo al fons, s'hi voldria integrar per acomplir-hi una diversitat de funcions entre les que no hi podia faltar la més vinculada a la seva vida marinera.

Waterfront. El Moll de la Fusta

Now that it has been reintegrated with the city, the Moll de la Fusta is the site of diverse activities, many of which are connected with Barcelona's maritime tradition.

海から見たモリュ・ダ・ラ・フスタ

再開発により人々が戻ってきたモリュ・ダ・ラ・フスタ。海とともに育てきたこの地区は、各方面から注目れる街にかわった。